D1037793

LES COMPORTEMENTS TOXIQUES QUI EMPOISONNENT L'EXISTENCE

Catalogage avant publication de Bibliothèque et Archives nationales du Québec et Bibliothèque et Archives Canada

Stone, Carolyn, 1952-

Les comportements toxiques qui empoisonnent l'existence

2e édition

(Collection Croissance personnelle)

Publ. à l'origine dans la coll. : Collection Psychologie. c2003.

ISBN 978-2-7640-1922-1

1. Psychologie – Ouvrages de vulgarisation. 2. Psychopathologie – Ouvrages de vulgarisation. 3. Émotions. 4. Éducation et discipline mentales. I. Titre. II. Collection : Collection Croissance personnelle.

BF145.S76 2012 150 C2012-940425-X

Une compagnie de Quebecor Media
7, chemin Bates
Montréal (Québec) Canada
H2V 4V7

Dépôt légal : 2012
Bibliothèque et Archives nationales du Québec

Pour en savoir davantage sur nos publications, visitez notre site : **www.quebecoreditions.com**

Éditeur : Jacques Simard
Conception de la couverture : Bernard Langlois
Illustration de la couverture : Istockphoto
Infographie : Claude Bergeron

Imprimé au Canada

Gouvernement du Québec – Programme de crédit d'impôt pour l'édition de livres – Gestion SODEC.

L'Éditeur bénéficie du soutien de la Société de développement des entreprises culturelles du Québec pour son programme d'édition.

Nous reconnaissons l'aide financière du gouvernement du Canada par l'entremise du Fonds du livre du Canada pour nos activités d'édition.

DISTRIBUTEURS EXCLUSIFS :

- Pour le Canada et les États-Unis :
  MESSAGERIES ADP*
  2315, rue de la Province
  Longueuil, Québec J4G 1G4
  Tél. : (450) 640-1237
  Télécopieur : (450) 674-6237
  * une division du Groupe Sogides inc., filiale du Groupe Livre Quebecor Média inc.

- Pour la France et les autres pays :
  INTERFORUM editis
  Immeuble Paryseine, 3, Allée de la Seine
  94854 Ivry CEDEX
  Tél. : 33 (0) 4 49 59 11 56/91
  Télécopieur : 33 (0) 1 49 59 11 33

  Service commande France Métropolitaine
  Tél. : 33 (0) 2 38 32 71 00
  Télécopieur : 33 (0) 2 38 32 71 28
  Internet : www.interforum.fr

  Service commandes Export – DOM-TOM
  Télécopieur : 33 (0) 2 38 32 78 86
  Internet : www.interforum.fr
  Courriel : cdes-export@interforum.fr

- Pour la Suisse :
  INTERFORUM editis SUISSE
  Case postale 69 – CH 1701 Fribourg – Suisse
  Tél. : 41 (0) 26 460 80 60
  Télécopieur : 41 (0) 26 460 80 68
  Internet : www.interforumsuisse.ch
  Courriel : office@interforumsuisse.ch

  Distributeur : OLF S.A.
  ZI. 3, Corminboeuf
  Case postale 1061 – CH 1701 Fribourg – Suisse

  Commandes : Tél. : 41 (0) 26 467 53 33
  Télécopieur : 41 (0) 26 467 54 66
  Internet : www.olf.ch
  Courriel : information@olf.ch

- Pour la Belgique et le Luxembourg :
  INTERFORUM BENELUX S.A.
  Fond Jean-Pâques, 6
  B-1348 Louvain-La-Neuve
  Tél. : 00 32 10 42 03 20
  Télécopieur : 00 32 10 41 20 24

CAROLYN STONE

LES COMPORTEMENTS TOXIQUES QUI EMPOISONNENT L'EXISTENCE

Comment s'en protéger

2e édition

Avertissement

Ce livre est exclusivement destiné à servir de référence. Certains troubles de la personnalité peuvent nécessiter un travail psychologique et une consultation avec un professionnel de la santé mentale. Si vous pensez avoir un problème de santé mentale particulier, nous ne saurions trop vous recommander de consulter un spécialiste.

PROVERBE CHINOIS

Les vérités qu'on aime le moins à apprendre
sont celles que l'on a le plus d'intérêt à savoir.

INTRODUCTION

Les personnes aux prises avec des comportements malsains et destructeurs éprouvent de la difficulté à affronter les obstacles de la vie — parfois, elles ne peuvent conserver leur emploi ou développer de bonnes relations avec les autres — et leurs problèmes gâchent franchement la vie de leur entourage.

En vérité, la majorité de ces personnes ne peuvent s'en sortir parce qu'elles voient leur comportement « toxique » comme leur plus grande force. Pour changer, elles doivent admettre qu'elles ont un problème, puis trouver des moyens de le vaincre.

Apprendre à mieux nous connaître est indispensable pour améliorer nos relations avec les autres ou tout simplement pour être bien dans notre peau. De même, un travail sur nous-mêmes permet l'épanouissement personnel et nous offre, entre autres, les moyens de corriger nos petits défauts et, surtout, d'enrichir notre propre vie.

Le présent ouvrage vous permettra de faire une évaluation de vous-même à partir de tests et de savoir ce qui vous différencie des autres. Il vous apprendra aussi ce qui se cache derrière les comportements toxiques et vous expliquera comment y remédier.

Rappelez-vous que chaque individu a son jardin secret et que lorsque les mauvaises herbes l'envahissent, il faut les arracher. Cultiver notre moi est, en effet, essentiel pour nous sentir bien dans notre tête. Notre bien-être est à ce prix !

Veuillez noter que, dans cet ouvrage, la forme masculine a été utilisée dans le seul but d'alléger le texte et ne se veut nullement discriminatoire.

L'ACHAT COMPULSIF, un trouble nuisible

PROVERBE CHINOIS À MÉDITER
Il est difficile d'attraper un chat noir dans une pièce sombre, surtout lorsqu'il n'y est pas.

La consommation, en Occident, est bien souvent un plaisir qui va au-delà de nos stricts besoins. On estime qu'au moins 25 % de nos achats sont imprévus ou impulsifs. Redoutable et destructrice, la fièvre acheteuse met en péril l'équilibre de notre budget et peut conduire à briser nos vies. Dans ce cadre, elle est considérée comme une obsession. Il est légitime de penser qu'un dépensier compulsif, qui éprouve souvent des troubles psychiatriques, tels que l'anxiété et la dépression, mérite une prise en charge étroite.

Le questionnaire qui suit va vous permettre de découvrir si vous savez réellement gérer vos dépenses.

Test ÊTES-VOUS victime de l'achat impulsif ?

1. **Mes achats sont disproportionnés par rapport à mes revenus.**
   D'accord ❑ Pas d'accord ☑

2. **J'ai un solde sur une carte de crédit ou plusieurs.**
   D'accord ❑ Pas d'accord ☑

3. **Je m'achète un cadeau lorsque je suis triste.**
   D'accord ☑ Pas d'accord ❑

4. **Il m'arrive d'acheter des objets qui ne me servent pas.**
   D'accord ☑ Pas d'accord ❑

5. **Acheter est un signe d'aisance et de réussite.**
   D'accord ❑ Pas d'accord ☑

6. **J'ai de la difficulté à gérer mes dépenses.**
   D'accord ❑ Pas d'accord ☑

7. **Je ne rate jamais une occasion d'offrir un cadeau.**
   D'accord ❑ Pas d'accord ☑

8. **Je me laisse tenter par les achats par correspondance.**
   D'accord ❑ Pas d'accord ☑

9. **Je suis un adepte du télé-achat.**
   D'accord ❑ Pas d'accord ☑

10. **J'éprouve de la culpabilité après avoir fait un achat impulsif.**
    D'accord ☐ Pas d'accord ☑

11. **J'achète tout ce dont j'ai envie.**
    D'accord ☐ Pas d'accord ☑

12. **Je m'habille royalement.**
    D'accord ☐ Pas d'accord ☑

13. **Je n'aime pas me priver de quoi que ce soit.**
    D'accord ☐ Pas d'accord ☑

14. **Je profite toujours des soldes.**
    D'accord ☐ Pas d'accord ☑

15. **Magasiner est une activité relaxante.**
    D'accord ☑ Pas d'accord ☐

16. **Les achats imprévus mettent du piquant dans ma vie.**
    D'accord ☑ Pas d'accord ☐

17. **Je suis un drogué de la dépense.**
    D'accord ☐ Pas d'accord ☑

18. **Je suis déprimé lorsque je fais des achats.**
    D'accord ☐ Pas d'accord ☑

Accordez-vous trois points pour chacun des énoncés précédents avec lequel vous êtes d'accord. Calculez votre score et reportez-vous au portrait qui lui correspond.

PLUTÔT RAISONNABLE

Votre total se situe entre 0 et 18 points.

Vous vous accordez bien quelques petits plaisirs, mais vous savez être raisonnable. La pulsion d'achat n'est pas un problème pour vous. Vous gérez vos revenus sans stress !

PLUTÔT DÉPENSIER COMPULSIF

Votre total se situe entre 21 et 36 points.

Il vous arrive de vous accorder des petits plaisirs qui vont au-delà de ce dont vous avez besoin. Attention de ne pas multiplier les dettes !

COMPLÈTEMENT DÉPENSIER COMPULSIF

Votre total est de 39 points ou plus.

Acheter ce dont on a besoin ou envie est une chose, mais acheter des choses inutiles et les entasser dans nos placards en est une autre. Pour vous, dépenser est une véritable obsession. Il serait beaucoup plus payant de faire face à vos difficultés plutôt que de vous endetter !

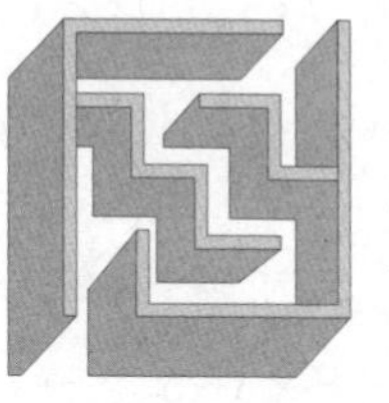

Pour vous en sortir

Si vos impulsions sont irrépressibles et que vos finances personnelles sont en danger, la première chose à faire est d'en parler à un professionnel, qui vous écoutera et vous donnera des conseils : ne faites pas comme si de rien n'était. Vous devez agir ; la dépense compulsive n'est jamais payante. Il s'agit de faire le point, de vous exprimer et de prendre appui sur un professionnel. Tous les dépensiers compulsifs qui vivent ce drame se sentent coupables et, souvent, honteux. C'est pour cette raison qu'il ne faut pas rester seul avec votre problème. Les achats impulsifs répétés ne sont jamais anodins...

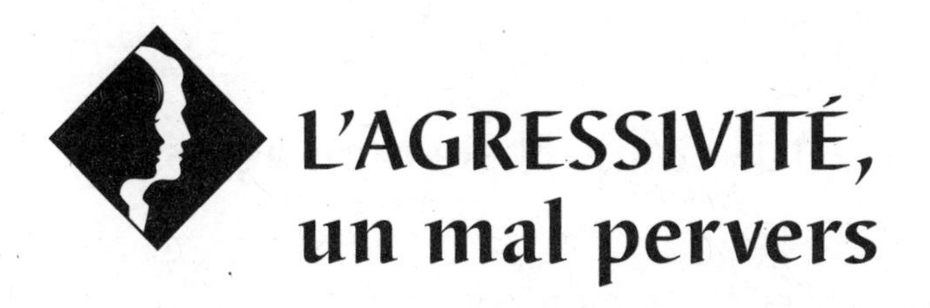

L'AGRESSIVITÉ, un mal pervers

PROVERBE CHINOIS À MÉDITER
L'eau renversée est difficile à rattraper.

Insultes, agressions, affronts... Certaines personnes vivent dans un état de surexcitation permanente. Elles n'arrivent pas à se contrôler et sont enclines à avoir des accès de colère. Aussi, la moindre contrariété les pousse à adopter un comportement anormal, voire asocial.

UN VÉRITABLE FLÉAU AUX ÉTATS-UNIS

Selon des statistiques américaines, 60 % des citoyens américains ont usé de violence envers autrui..

Les gens agressifs sont souvent surpris que les autres puissent se mettre en colère contre eux ! Et pour cause : ils ont une image souvent trompeuse de ce qu'ils sont et refusent d'admettre la violence qui les habite. Une autre caractéristique est qu'ils ont peur de la violence. De plus, ils ont une antenne qui leur permet de repérer tous ceux et celles qui peuvent les contrer. Le pire, c'est qu'ils ne ressentent aucune culpabilité. Le test qui suit vous permettra d'établir votre niveau d'agressivité.

Test

ÊTES-VOUS compréhensif ou agressif ?

1. **Il ne faut pas se fier à mon petit air candide.**
   D'accord ☐ Pas d'accord ☑

2. **Je peux être invivable pour mon entourage.**
   D'accord ☐ Pas d'accord ☑

3. **Je traverse souvent des crises d'angoisse.**
   D'accord ☐ Pas d'accord ☑

4. **Mes rapports avec les instances hiérarchiques ne se passent pas toujours dans la bonne humeur.**
   D'accord ☐ Pas d'accord ☑

5. **Je suis plutôt imprévisible.**
   D'accord ☐ Pas d'accord ☑

6. **Ma vie amoureuse est un tant soit peu torturée.**
   D'accord ☑ Pas d'accord ☐

7. **Je cherche souvent la dispute dans mon couple.**
   D'accord ☐ Pas d'accord ☑

8. **Les occasions de m'énerver ne manquent pas.**
D'accord ☑ Pas d'accord ❑

9. **Les chauffards qui me coupent la route font monter mon adrénaline.**
D'accord ☑ Pas d'accord ❑

10. **Je n'hésite pas à déverser des insanités à ceux qui m'énervent.**
D'accord ❑ Pas d'accord ☑

11. **Je ne supporte pas les files d'attente.**
D'accord ☑ Pas d'accord ❑

12. **J'ai déjà fait un scandale dans un lieu public.**
D'accord ☑ Pas d'accord ❑

13. **Je rends aux agresseurs la monnaie de leur pièce.**
D'accord ☑ Pas d'accord ❑

14. **Je pense qu'une bonne dispute peut soulager.**
D'accord ☑ Pas d'accord ❑

15. **J'aime le rouge et le bleu électrique.**
D'accord ❑ Pas d'accord ☑

16. **Lorsque je suis en colère, je peux crier ou fracasser un objet.**
D'accord ❑ Pas d'accord ☑

17. **J'ai un tempérament rageur qui s'extériorise.**
D'accord ❑ Pas d'accord ☑

18. **Mon arme de prédilection est le chantage émotif.**
D'accord ❑ Pas d'accord ☑

19. Je ne suis pas du genre à me laisser faire.

D'accord ☑ Pas d'accord ❑

Accordez-vous trois points pour chacun des énoncés précédents avec lequel vous êtes d'accord. Calculez votre score et reportez-vous au portrait qui lui correspond.

PLUTÔT COMPRÉHENSIF

Votre total se situe entre 0 et 15 points.

Vous avez les pieds sur terre ! Vous croyez à la logique et pesez toujours le pour et le contre. Vous êtes plein de bon sens !

PLUTÔT AGRESSIF

Votre total se situe entre 18 et 33 points.

Les conflits ne se règlent pas dans l'agressivité. Sachez que l'hostilité attriste les cœurs fragiles... Restez plutôt disponible et à l'écoute des autres.

TRÈS AGRESSIF

Votre total est de 36 points ou plus.

Pourquoi toujours prendre votre entourage à rebrousse-poil alors qu'il existe des moyens doux de vous faire comprendre ? Sachez que les échanges sont toujours enrichissants de part et d'autre.

Pour vous en sortir

Pour vous, il s'agit de punir l'autre par votre regard, votre attitude corporelle ou vos paroles. Même à tort, vous l'accusez. Du coup, cette personne est en alerte et de plus en plus inquiète. Votre but est donc de la punir... en l'agressant.

Aussi :

- lorsqu'un problème se pose, la meilleure façon de le régler consiste à rester détendu et à expliquer à l'autre ce qui vous préoccupe. Sachez que vous ne gagnerez rien par la provocation ou la combativité ;
- évitez d'exercer des pressions sur les gens de votre entourage ;
- favorisez les échanges de tout genre ;
- évitez de créer des crises.

L'ART DU COMPROMIS DANS LE COUPLE

Vous avez un tempérament rageur ? Prenez toujours le temps de discuter avec votre conjoint et, si vous entendez des choses qui ne vous plaisent pas, ne réagissez pas ; prenez plutôt un peu de distance pour réfléchir à ce que vous voulez vraiment quant à votre relation. Il faut que chacun d'entre vous ait le temps et le droit d'exprimer ses désirs.

Rappelez-vous que vous pouvez toujours exprimer ce que vous ressentez sans qu'il soit nécessaire de déclencher une bagarre. Voici quelques conseils :

- La meilleure technique que nous pouvons vous recommander est l'humour !

- Faites preuve de patience dans votre couple. Apprenez à faire la part des choses et à reconnaître les mérites de votre partenaire.
- Évitez de vous affoler ou de vous énerver. L'agressivité ne règle rien.

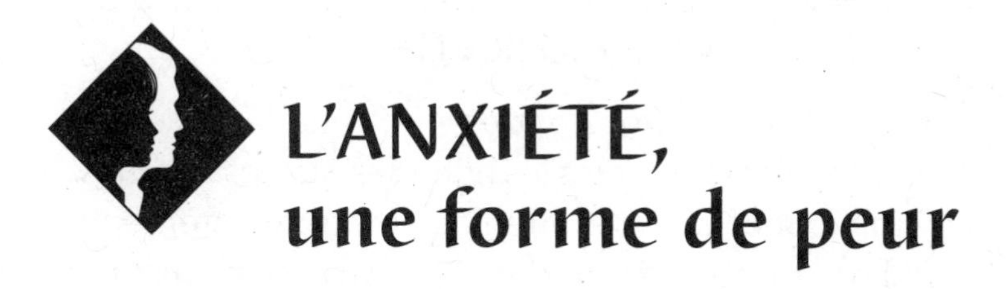

L'ANXIÉTÉ, une forme de peur

PROVERBE CHINOIS À MÉDITER
Le jour éloigné existe, celui qui ne viendra pas n'existe pas.

L'anxiété est une peur diffuse qui nous permet de réagir lors de situations critiques ou périlleuses. Elle masque une émotion ou une préoccupation et disparaît habituellement en peu de temps. L'anxiété est jugée anormale lorsqu'elle est excessive et qu'elle perturbe la vie d'une personne. Bien souvent, quelqu'un en proie à l'angoisse a mis ses problèmes de côté. Il se fait tellement de souci au sujet d'un grand nombre de situations et d'événements, qu'il éprouve une appréhension constante. Cette anxiété peut s'accompagner d'autres problèmes de santé, comme la dépression, l'alcoolisme, etc., et se présenter sous plusieurs formes : anxiété généralisée, phobie sociale, trouble obsessionnel-compulsif...

SAVIEZ-VOUS QUE...

15 % des gens souffrent d'une légère anxiété pendant toute leur vie.

LES HOMMES SONT-ILS MOINS AFFECTÉS PAR L'ANXIÉTÉ ?

Les statistiques démontrent en effet que les troubles d'angoisse affectent moins les hommes que les femmes. Cette différence semble être liée aux comportements masculins : plutôt que de faire de la place à un problème ou à une situation difficile, les hommes ont tendance à les fuir, à les négliger ou même à se réfugier dans l'alcool.

Test

ÊTES-VOUS calme ou anxieux ?

1. **Êtes-vous souvent à bout de nerfs ?**

   Oui ☑ Non ☐

2. **Êtes-vous souvent irritable ?**

   Oui ☑ Non ☐

3. **Êtes-vous tendu ?**

   Oui ☑ Non ☐

4. **Avez-vous des émotions refoulées ?**

   Oui ☑ Non ☐

5. Avez-vous des troubles de la concentration ?

Oui ☑ Non ❑

6. Souffrez-vous de maux de tête fréquents ?

Oui ❑ Non ☑

7. Avez-vous du mal à dormir ?

Oui ❑ Non ☑

8. Avez-vous des trous de mémoire ?

Oui ☑ Non ❑

9. Vous blessez-vous souvent ?

Oui ❑ Non ☑

10. Avez-vous des palpitations causées par l'anxiété ?

Oui ❑ Non ☑

11. Vous imaginez-vous le pire (cancer, crise cardiaque...) ?

Oui ❑ Non ☑

12. Devez-vous éviter certaines situations par crainte, par embarras... ?

Oui ❑ Non ☑

13. Avez-vous vécu une situation critique ou dangereuse dernièrement ?

Oui ❑ Non ☑

14. Tentez-vous d'oublier un problème ?

Oui ❑ Non ☑

15. Avez-vous l'impression de ne pas profiter pleinement de la vie ?

Oui ☑ Non ❑

Accordez-vous deux points pour chaque oui. Calculez votre score et reportez-vous au portrait qui lui correspond.

PLUTÔT CALME

Votre total se situe entre 0 et 8 points.

Vous semblez être en mesure de regarder vos problèmes en face et de les régler d'une manière satisfaisante.

PLUTÔT ANXIEUX

Votre total se situe entre 10 et 16 points.

Il vous arrive de manquer de confiance dans votre capacité de résoudre vos problèmes.

TRÈS ANXIEUX

Votre total est de 18 points ou plus.

Tentez de cerner ce qui vous angoisse. Examinez bien le problème que vous vivez et trouvez des solutions.

◆

SERPENTS, ARAIGNÉES, AVIONS...

On estime que 33 % des gens ont la phobie des serpents ou des araignées. On rapporte aussi que le tiers de la population a peur de prendre l'avion alors que 4 % des gens redoutent les chiens ou les foules.

Pour vous en sortir

- Cessez de repousser ce qui vous tracasse ;
- Tentez de remplacer vos pensées anxieuses ou irrationnelles par des pensées réalistes ;
- Faites de l'exercice ;
- Évitez les stimulants, comme la caféine, la théine... ;
- Dormez suffisamment ;
- Évitez de prendre des boissons alcoolisées ;
- Faites de la méditation ou ayez recours à des techniques de relaxation ;
- Essayez de vous détendre.

Si vous souffrez de troubles anxieux sévères et que vous n'arrivez pas à supprimer les pensées qui déclenchent ce mal, consultez votre médecin. Les troubles anxieux sont habituellement traités par des médicaments, une psychothérapie ou les deux.

L'ARROGANCE, un faux sentiment de suffisance

PROVERBE ANGLAIS À MÉDITER
Les amis sont comme les cordes de violon :
il ne faut pas trop les tendre.

C'est connu, une personne arrogante est sans remords pour ses fautes. Son bagout est souvent redoutable. Elle se moque absolument du reste du monde et n'hésite pas à attaquer de front. Rarement sincère, elle n'hésite pas à prendre des cœurs fragiles pour cible. D'une insolence méprisante ou agressive, elle peut étaler une satisfaction d'elle-même d'une manière qui peut être à la fois déplaisante et ridicule. On peut dire qu'elle est pratiquement imperméable à l'opinion des autres. Le test qui suit vous permettra de savoir si vous avez un soupçon d'arrogance ou pas.

Test

ÊTES-VOUS arrogant ?

1. **J'ai une nature plutôt arrogante.**
   D'accord ❑ Pas d'accord ❑

2. **Il hurle, je hurle !**
   D'accord ❑ Pas d'accord ❑

3. **Il m'arrive de blâmer le comportement des autres.**
   D'accord ❑ Pas d'accord ❑

4. **Je n'hésite pas à me disputer avec un casse-pieds.**
   D'accord ❑ Pas d'accord ❑

5. **J'ai de la difficulté à doser mes émotions et réactions.**
   D'accord ❑ Pas d'accord ❑

6. **J'obtiens tout ce que je veux.**
   D'accord ❑ Pas d'accord ❑

7. **Mon manque de respect peut être offensant.**
   D'accord ❑ Pas d'accord ❑

8. **La modestie, ce n'est pas pour moi.**
   D'accord ❑ Pas d'accord ❑

9. **On me reproche parfois mon ton insolent.**
   D'accord ❑ Pas d'accord ❑

10. **Je peux me montrer hautain et distant.**
    D'accord ❑ Pas d'accord ❑

11. J'ai une perception négative de mes propres valeurs.

D'accord ❑ Pas d'accord ☑

12. J'aime exercer un certain contrôle sur les autres.

D'accord ❑ Pas d'accord ☑

13. J'utilise des mots blessants à l'égard de ceux qui m'entourent.

D'accord ❑ Pas d'accord ☑

14. Il m'arrive d'humilier les autres.

D'accord ❑ Pas d'accord ☑

15. Je suis souvent sarcastique.

D'accord ☑ Pas d'accord ❑

Accordez-vous trois points pour chacun des énoncés précédents avec lequel vous êtes d'accord. Calculez votre score et reportez-vous au portrait qui lui correspond.

PLUTÔT AFFABLE

Votre total se situe entre 0 et 6 points.

Aimable et courtois, vous parlez et agissez avec politesse. Vous êtes sans reproches !

PLUTÔT ARROGANT

Votre total se situe entre 9 et 15 points.

Plutôt préoccupé par vous-même, il vous arrive d'être hautain. Le grand malheur est que vous ne tenez pas toujours compte de votre entourage. Vous gagneriez à être plus courtois avec les autres !

TRÈS ARROGANT

Votre total est de 18 points ou plus.

Vous êtes très centré sur vous-même, et vos manières sont hautaines et méprisantes.

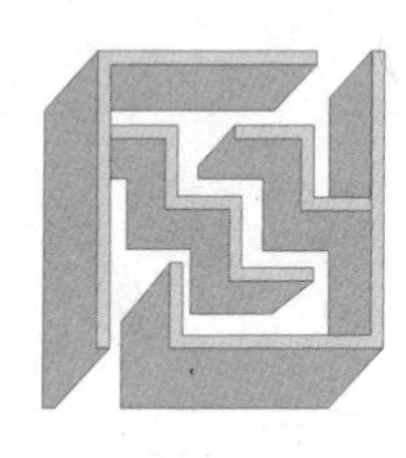

POUR VOUS EN SORTIR

- Cessez de mettre les gens en défaut... et évitez de jeter de l'huile sur le feu ;
- Apprenez à mieux gérer vos relations avec les autres ;
- Utilisez au mieux vos capacités ;
- Développez votre intuition ;
- Reprenez confiance en vous.

LE BOURREAU DE TRAVAIL : des ambitions démesurées

Proverbe arabe à méditer

Quand des ailes poussent sur la fourmi, c'est pour sa perte.

Certaines personnes sont toujours dans l'action. Elles misent tout sur leur carrière. La reconnaissance sociale liée à leur statut leur donne de l'assurance, mais derrière une vie professionnelle envahissante se cache souvent un être fragile et sensible. Le bourreau de travail est prisonnier de cette image idéalisée de lui-même.

Test

ÊTES-VOUS un bourreau de travail ?

1. Vos ambitions et vos exigences sont-elles très élevées ?
   Oui ☑ Non ☐

2. Avez-vous peur de vous retrouver seul face à vous-même quand vous n'êtes pas submergé de travail ?
   Oui ☐ Non ☑

3. Vous sentez-vous coupable lorsque vous vous reposez ?
   Oui ☑ Non ☐

4. Avez-vous peur de l'échec ?
   Oui ☑ Non ☐

5. Votre vie amoureuse est-elle une menace pour vous ?
   Oui ☑ Non ☐

6. Tenez-vous les autres à une bonne distance de vous ?
   Oui ☑ Non ☐

7. Avez-vous souvent des surcharges de travail ?
   Oui ☐ Non ☑

8. Le travail est-il quelque chose de sacré pour vous ?
   Oui ☑ Non ☐

9. Vivez-vous uniquement pour votre travail ?

Oui ☑ Non ❑

10. Votre vie professionnelle empiète-t-elle sur votre vie affective ?

Oui ☑ Non ❑

11. Avez-vous beaucoup d'ambition ?

Oui ☑ Non ❑

12. Acceptez-vous de faire des journées de douze heures ?

Oui ❑ Non ☑

13. Aimez-vous travailler comme un forcené ?

Oui ☑ Non ❑

14. Pensez-vous à votre travail à la maison ?

Oui ☑ Non ❑

15. Avez-vous une implication démesurée au travail ?

Oui ☑ Non ❑

16. Avez-vous le respect du devoir accompli ?

Oui ☑ Non ❑

17. La réussite sociale est-elle importante pour vous ?

Oui ☑ Non ❑

18. Selon vous, le travail présente-t-il une valeur en lui-même ?

Oui ☑ Non ❑

19. Êtes-vous souvent trop débordé pour prendre des vacances ?

Oui ☑ Non ❑

Accordez-vous deux points pour chaque oui. Calculez votre score et reportez-vous au portrait qui lui correspond.

PLUTÔT NORMAL

Votre total se situe entre 0 et 8 points.

Vous avez des objectifs réalistes et vous semblez vous donner les moyens pour les atteindre.

PLUTÔT BOURREAU DE TRAVAIL

Votre total se situe entre 10 et 16 points.

Plutôt fonceur, vous pouvez tourner en rond si votre dépense d'énergie n'est pas canalisée en fonction d'objectifs précis.

COMPLÈTEMENT BOURREAU DE TRAVAIL

Votre total est de 18 points ou plus.

Plusieurs théories soutiennent qu'une personne s'acharne au travail pour échapper à quelque chose qui l'effraie. Si c'est le cas, demandez-vous ce qui vous pousse à trop travailler...

VOTRE VIE PRIVÉE...

Ne serait-il pas merveilleux d'avoir une épaule solide sur laquelle vous appuyer ? Rien ne vous empêche de réussir votre vie privée... si ce n'est votre manque de disponibilité. Il s'agit en fait de tenter d'atteindre un certain équilibre. Faites un retour sur vous-même et... soyez plus humain.

Pour sortir de cet engrenage, il est nécessaire d'apprendre à gérer votre temps de façon équilibrée.

Pour vous en sortir

- Octroyez-vous des plages de repos ;
- Fixez-vous des limites ;
- Planifiez ce que vous avez à faire ;
- Prévoyez des horaires précis pour travailler ;
- Sachez vous arrêter ;
- Ne négligez pas vos besoins affectifs.

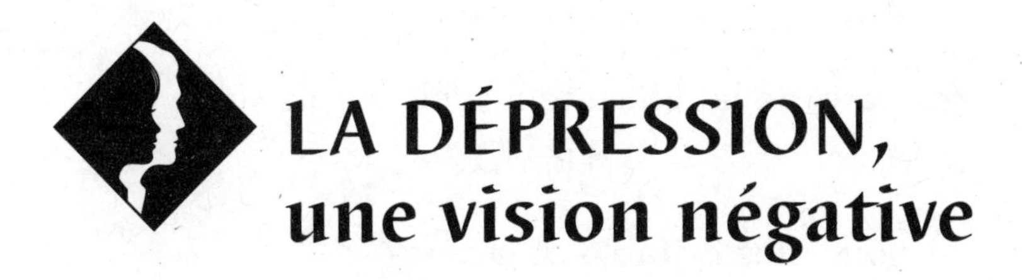

LA DÉPRESSION, une vision négative

PROVERBE CHINOIS À MÉDITER
Pourquoi se jeter à l'eau avant que la barque ait chaviré ?

Près de 45 % des gens ont été affectés, à un moment ou à un autre de leur vie, par des troubles dépressifs passagers. La dépression est une forme de tristesse persistante. La personne déprimée a des pensées négatives d'elle-même, du monde et de l'avenir. Elle peut ressentir du désarroi, du désespoir et de la culpabilité. Elle peut aussi se plaindre d'être incapable de se concentrer.

Test

ÊTES-VOUS mal dans votre peau ?

1. **Ressentez-vous de la tristesse ?**
   Oui ☑ Non ❑

2. **Avez-vous un sentiment de vide intérieur ?**
   Oui ☑ Non ❑

3. **Avez-vous de la difficulté à avoir du plaisir ?**
   Oui ☑ Non ❑

4. **Êtes-vous plus irritable qu'avant ?**
   Oui ☑ Non ❑

5. **Avez-vous de la difficulté à dormir ?**
   Oui ☑ Non ❑

6. **Avez-vous subi une grande perte d'énergie ?**
   Oui ☑ Non ❑

7. **Êtes-vous confus ?**
   Oui ❑ Non ☑

8. **Oubliez-vous des dates ou des rendez-vous importants ?**
   Oui ❑ Non ☑

9. **Avez-vous l'impression que personne ne tient à vous ?**
   Oui ☑ Non ❑

10. Avez-vous pris ou perdu beaucoup de poids au cours des derniers mois ?

Oui ❑ Non ❑

11. Négligez-vous votre hygiène personnelle ?

Oui ❑ Non ❑

12. Passez-vous plusieurs heures par jour à traîner au lit ?

Oui ❑ Non ❑

13. Fuyez-vous vos amis et les membres de votre famille ?

Oui ❑ Non ❑

14. Êtes-vous négatif ?

Oui ❑ Non ❑

15. Blâmez-vous les autres pour tous vos problèmes ?

Oui ❑ Non ❑

16. Êtes-vous moins efficace au travail ?

Oui ❑ Non ❑

17. Posez-vous des questions pour lesquelles vous avez déjà les réponses ?

Oui ❑ Non ❑

18. Votre style de vie a-t-il changé ?

Oui ❑ Non ❑

19. Votre sens de l'humour est-il perturbé ?

Oui ❑ Non ❑

20. Ressentez-vous une tristesse profonde ?

Oui ☑ Non ❑

Accordez-vous deux points pour chaque oui. Calculez votre score et reportez-vous au portrait qui lui correspond.

PLUTÔT NORMAL

Votre total se situe entre 0 et 10 points.
Vous semblez être bien dans votre peau.

PLUTÔT DÉPRIMÉ

Votre total se situe entre 12 et 22 points.
Ce n'est pas un crime d'être déprimé, à la condition d'en être conscient. Prenez un peu de recul et agissez concrètement pour régler vos problèmes.

COMPLÈTEMENT DÉPRIMÉ

Votre total est de 24 points ou plus.
Vous semblez avoir une vision négative de vous-même et de l'avenir.

FAUT-IL PARLER DE NOS TROUBLES DÉPRESSIFS ?

C'est une question personnelle ; certaines personnes entrent dans les détails et d'autres préfèrent cacher la maladie. N'oubliez pas que vous vous privez d'un précieux soutien social en vous isolant.

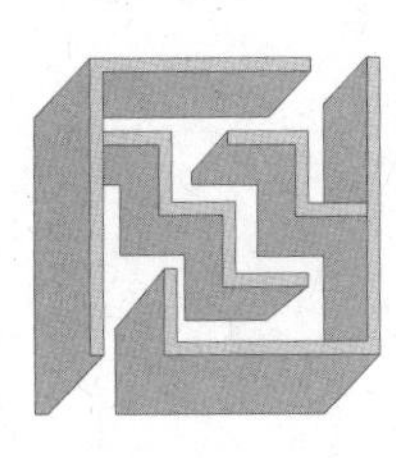

Pour vous en sortir

- N'hésitez pas à aller à la rencontre des autres. Vous vous apercevrez qu'ils ne vous considèrent pas aussi négativement que vous l'imaginez.
- Rappelez-vous qu'une fois que vous vous ouvrirez sur l'extérieur, votre vie sera moins monotone.
- Vous avez besoin de vous changer les idées. Si vous êtes esseulé et qu'on vous propose de sortir, acceptez !

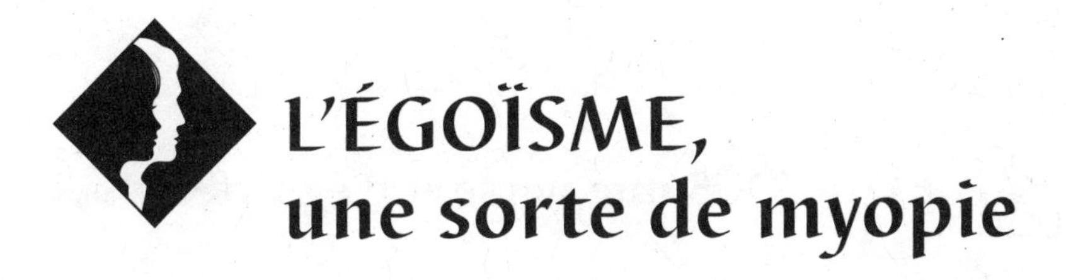

L'ÉGOÏSME, une sorte de myopie

PROVERBE TUNISIEN À MÉDITER
La queue du chien l'a aidé à traverser la rivière
et il a exigé qu'elle soit parfumée.

Au quotidien, une personne égoïste ne s'intéresse qu'à elle-même. Incapable de rendre service ou de penser aux autres, elle est essentiellement préoccupée par elle-même. Continuellement à la recherche de son plaisir et de son intérêt personnels, elle organise sa vie en fonction de ses goûts, de ses choix, de ses activités. Lorsqu'elle est en relation avec les autres, c'est qu'elle croit pouvoir en tirer quelque chose : une promotion, du plaisir, des avantages...

L'égoïste ne voit pas plus loin que ses désirs immédiats ; c'est presque une sorte de myopie. Son amour exagéré pour lui-même l'empêche d'aimer qui que ce soit d'autre. Mais ce n'est pas l'amour de soi qui le rend égoïste. C'est plutôt son attachement plus ou moins exagéré à une image obsolète de lui. En outre, il a un besoin maladif de tout ramener à lui et de s'approprier tout ce qui lui plaît. Perpétuellement en quête de prestige, d'expériences et de plaisirs, il est indifférent au reste du monde et n'hésite pas à se replier sur lui-même. Le questionnaire qui suit vous permettra de savoir si vous êtes uniquement préoccupé par vous-même.

Test

ÊTES-VOUS une personne égoïste ?

1. **« Chacun pour soi » est ma devise.**
   D'accord ❑ Pas d'accord ❑

2. **Je me soucie peu de ce que les autres pensent.**
   D'accord ❑ Pas d'accord ❑

3. **Je suis satisfait de moi-même.**
   D'accord ❑ Pas d'accord ❑

4. **Passer pour un vaniteux ne me déplaît pas.**
   D'accord ❑ Pas d'accord ❑

5. **Je ne suis pas du genre à rendre service aux autres.**
   D'accord ❑ Pas d'accord ❑

6. **On me reproche parfois d'être égoïste.**
   D'accord ❑ Pas d'accord ❑

7. **On a tort de ne pas me prendre au sérieux.**
   D'accord ❑ Pas d'accord ❑

8. **J'oublie facilement les visages.**
D'accord ❑ Pas d'accord ❑

9. **Ma pire punition est de demander pardon.**
D'accord ❑ Pas d'accord ❑

10. **Il n'y a pas de place pour qui que ce soit dans ma vie.**
D'accord ❑ Pas d'accord ❑

11. **Je suis un célibataire endurci.**
D'accord ❑ Pas d'accord ❑

12. **J'arrive toujours à mes fins.**
D'accord ❑ Pas d'accord ❑

13. **Je suis toujours à la recherche du plaisir.**
D'accord ❑ Pas d'accord ❑

14. **Je manque parfois d'objectivité.**
D'accord ❑ Pas d'accord ❑

15. **Être admiré est important dans mon métier.**
D'accord ❑ Pas d'accord ❑

16. **Il n'y a rien à attendre des autres.**
D'accord ❑ Pas d'accord ❑

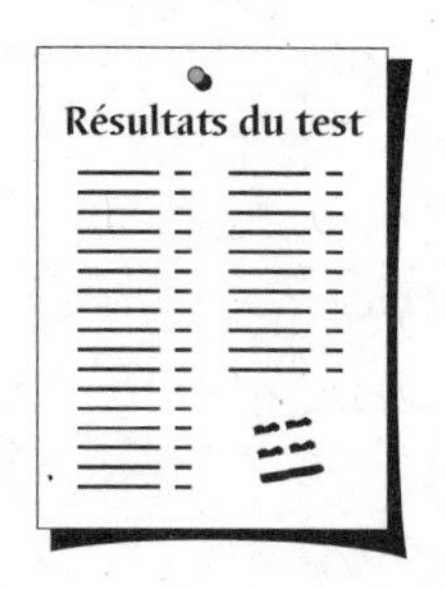

Accordez-vous trois points pour chacun des énoncés précédents avec lequel vous êtes d'accord. Calculez votre score et reportez-vous au portrait qui lui correspond.

PLUTÔT GÉNÉREUX

Votre total se situe entre 0 et 9 points.

Vous avez une ouverture vers les autres et vous croyez assez en vous pour vous aimer. C'est ce qui vous permet de donner de l'amour aux autres.

PLUTÔT ÉGOÏSTE

Votre total se situe entre 12 et 27 points.

Plutôt préoccupé par vous-même, vous avez tendance à être égoïste.

TRÈS ÉGOÏSTE

Votre total est de 30 points ou plus.

Vous êtes assurément un grand écorché du cœur...

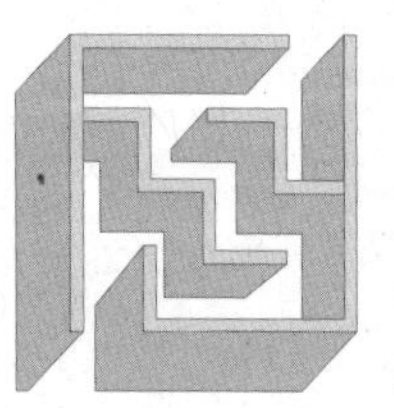

POUR VOUS EN SORTIR

Votre égoïsme est une forme d'enfermement. On vous soupçonne d'insensibilité et on vous taxe d'ingrat... L'égoïsme est une forme de narcissisme. Des carences affectives peuvent être à la source même de vos troubles. Quelles que soient les raisons, il importe de vous occuper de vous et de rechercher vos intérêts les plus profonds.

Si vous pensez que l'on ne peut se préoccuper du bonheur des autres toutes les minutes de sa vie, vous avez raison. Mais de là à ce que vos pensées servent uniquement vos motivations, il y a un monde ! Votre égoïsme est un asservissement comme un autre. Vous avez perdu l'estime de vous-même et vous êtes avare de vos sentiments et de vos émotions. Pour voir plus clair dans vos sentiments, vous devez :

- vous ouvrir sur le monde ;
- vous occuper réellement de vous ;
- être plus solidaire de vos semblables.

VOUS VIVEZ AVEC UNE PERSONNE SANS-CŒUR ?

Pour éviter les crises dans votre couple, il suffit d'y mettre de la bonne volonté de part et d'autre. Ne vous emportez pas pour un rien ; vous bénéficierez alors d'une atmosphère beaucoup plus détendue.

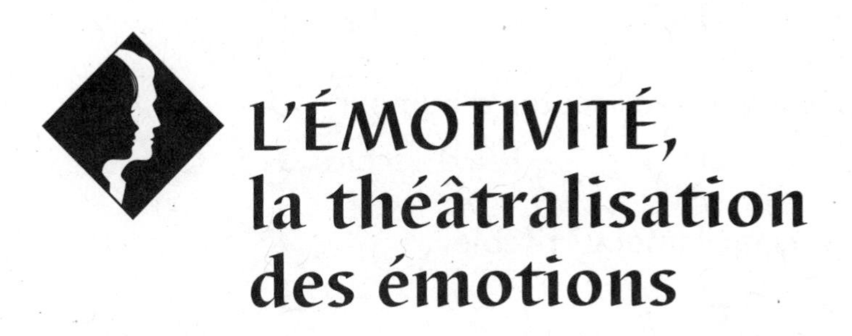

L'ÉMOTIVITÉ, la théâtralisation des émotions

PROVERBE CHINOIS À MÉDITER
Pourquoi se jeter à l'eau avant que la barque ait chaviré ?

Chez certaines personnes, tout est une question d'émotivité : elles aiment ou détestent ! Impulsives, elles n'expriment pas toujours adroitement ce qu'elles ressentent. La vie au quotidien avec une personne trop émotive peut être difficile. Le questionnaire qui suit va vous permettre de savoir si vos émotions ont le dessus sur vous.

Test

Vos émotions vous contrôlent-elles ?

1. Je me mets facilement en colère pour des riens.
D'accord ❑ Pas d'accord ❑

2. C'est souvent la frustration qui l'emporte.
D'accord ❑ Pas d'accord ❑

3. J'ai souvent des sautes d'humeur.
D'accord ❑ Pas d'accord ❑

4. Je suis facilement irritable.
D'accord ❑ Pas d'accord ❑

5. Je suis très sensible au rejet et à la critique.
D'accord ❑ Pas d'accord ❑

6. Je réagis sans prendre le temps de réfléchir.
D'accord ❑ Pas d'accord ❑

7. Je suis plutôt de nature inquiète.
D'accord ❑ Pas d'accord ❑

8. Je me sens inférieur aux autres.
D'accord ❑ Pas d'accord ❑

9. Je suis vulnérable dans mes relations amoureuses.
D'accord ❑ Pas d'accord ❑

10. J'ai de la difficulté à gérer mon temps de façon équilibrée.
D'accord ❑ Pas d'accord ❑

11. J'ai besoin de monopoliser l'attention des autres.

D'accord ❑ Pas d'accord ❑

12. Je n'arrive pas toujours à doser mes réactions.

D'accord ❑ Pas d'accord ❑

13. Il m'arrive de craquer.

D'accord ❑ Pas d'accord ❑

14. Il m'arrive de commettre des imprudences.

D'accord ❑ Pas d'accord ❑

15. J'ai des inquiétudes sur le présent et l'avenir.

D'accord ❑ Pas d'accord ❑

16. Je mets en doute mes capacités et mes compétences.

D'accord ❑ Pas d'accord ❑

17. Je contrôle mal mon stress.

D'accord ❑ Pas d'accord ❑

18. Je suis hypersensible.

D'accord ❑ Pas d'accord ❑

19. Je suis angoissé par la moindre chose.

D'accord ❑ Pas d'accord ❑

20. Je maîtrise mal mes accès de colère ou mes peurs.

D'accord ❑ Pas d'accord ❑

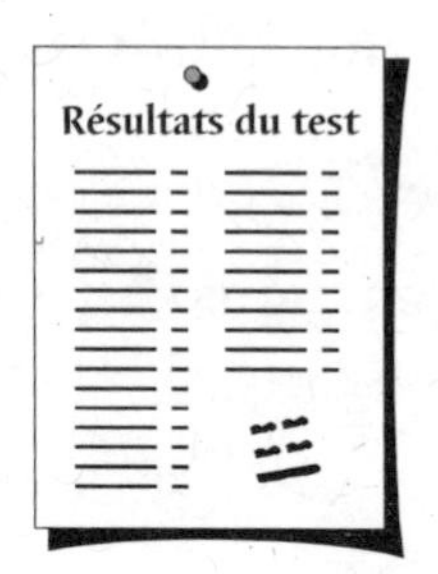

Accordez-vous trois points pour chacun des énoncés précédents avec lequel vous êtes d'accord. Calculez votre score et reportez-vous au portrait qui lui correspond.

PLUTÔT NORMAL
Votre total se situe entre 0 et 18 points.
Vous êtes bien dans votre peau. Peu de problèmes troublent votre bel équilibre.

PLUTÔT ÉMOTIF
Votre total se situe entre 21 et 39 points.
Il vous arrive de céder à vos impulsions plutôt que de prendre le temps d'évaluer une situation.

TRÈS ÉMOTIF
Votre total est de 42 points ou plus.
Vos émotions vous épuisent !

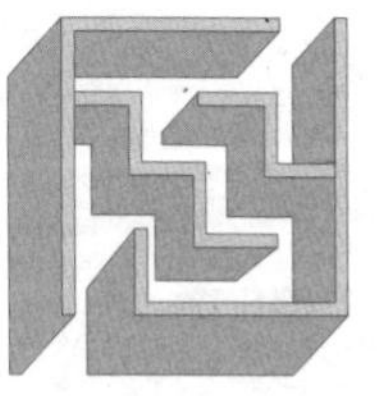

Pour vous en sortir

Tout vous stresse au plus haut point. Vous avez de la difficulté à évaluer une situation à sa juste mesure. Vous devez d'abord et avant tout apprendre à bien évaluer chaque situation plutôt que de céder à vos impulsions. Pour ce faire, vous pouvez :

- cesser de vous révolter contre vos illusions ou une injustice qui vous est infligée ;

- faire le point et prendre du temps pour vous ;
- vous entourer de gens qui vous font du bien ;
- vous amuser ;
- être à l'écoute de vos besoins ;
- apprendre à vous ménager et à devenir votre meilleur ami.

LA FRUSTRATION, une tension psychologique

PROVERBE CHINOIS À MÉDITER
Avec le temps et la patience, la feuille du mûrier devient de la soie.

La frustration est une tension psychologique engendrée par un obstacle extérieur qui nous empêche d'atteindre un but ou de réaliser un désir. Certaines personnes ne sont pas en état de surmonter leurs frustrations parce qu'elles n'ont pas les moyens de les maîtriser. Or, l'agressivité est souvent la réaction humaine la plus commune à la frustration. Elle peut aussi bien se porter sur une autre personne que sur le sujet lui-même. Le test qui suit vous permettra de savoir comment vous réagissez aux frustrations de la vie.

Test ÊTES-VOUS en mesure de surmonter vos frustrations ?

1. **Ma vie est sans intérêt.**
   D'accord ❑ Pas d'accord ❑

2. **Mon travail m'ennuie.**
   D'accord ❑ Pas d'accord ❑

3. **J'ai peu d'amis.**
   D'accord ❑ Pas d'accord ❑

4. **Je commence à croire que je serai seul jusqu'à la fin de mes jours.**
   D'accord ❑ Pas d'accord ❑

5. **J'ai l'impression que je ne remarque jamais rien.**
   D'accord ❑ Pas d'accord ❑

6. **Je passe mes moments libres devant la télé.**
   D'accord ❑ Pas d'accord ❑

7. **Je manque de confiance en moi.**
   D'accord ❑ Pas d'accord ❑

8. **Je manifeste peu d'intérêt pour les gens que je rencontre.**
   D'accord ❑ Pas d'accord ❑

9. **J'ai l'impression que rien ne me réussit.**
   D'accord ❑ Pas d'accord ❑

10. Je me sens frustré.

D'accord ❑ Pas d'accord ❑

11. J'ai subi un échec sur le plan professionnel.

D'accord ❑ Pas d'accord ❑

12. Je suis un éternel insatisfait.

D'accord ❑ Pas d'accord ❑

13. Je suis facilement irritable.

D'accord ❑ Pas d'accord ❑

14. J'éprouve des difficultés dans ma vie personnelle.

D'accord ❑ Pas d'accord ❑

15. Dans tout, je ne me sens pas à la hauteur.

D'accord ❑ Pas d'accord ❑

16. Je ne me sens pas valorisé ou apprécié.

D'accord ❑ Pas d'accord ❑

17. Il n'y a pas d'équilibre entre ma vie privée et ma vie professionnelle.

D'accord ❑ Pas d'accord ❑

18. J'aimerais changer de vie.

D'accord ❑ Pas d'accord ❑

19. J'ai une personnalité angoissée.

D'accord ❑ Pas d'accord ❑

20. J'ai des relations conflictuelles avec mon entourage.

D'accord ❑ Pas d'accord ❑

21. Je suis un idéaliste contrarié.

D'accord ❑ Pas d'accord ❑

Accordez-vous trois points pour chacun des énoncés précédents avec lequel vous êtes d'accord. Calculez votre score et reportez-vous au portrait qui lui correspond.

PLUTÔT NORMAL

Votre total se situe entre 0 et 15 points.

Vous avez appris à surmonter les frustrations de toutes sortes.

PLUTÔT FRUSTRÉ

Votre total se situe entre 18 et 33 points.

Vous devriez être un peu plus à l'écoute de vos émotions et apprendre à reconnaître les signes.

TRÈS FRUSTRÉ

Votre total est de 36 points ou plus.

Vous attendez beaucoup de la vie, mais celle-ci ne semble pas vous favoriser. Rien ne vous réussit et vous ne savez pas comment provoquer les événements qui pourraient rendre votre existence moins frustrante. Pourtant, les changements ne peuvent venir que de vous. Ainsi, vous devez apprendre à reconnaître que votre bonheur ne dépend que de vous et vous donner les moyens de maîtriser vos frustrations.

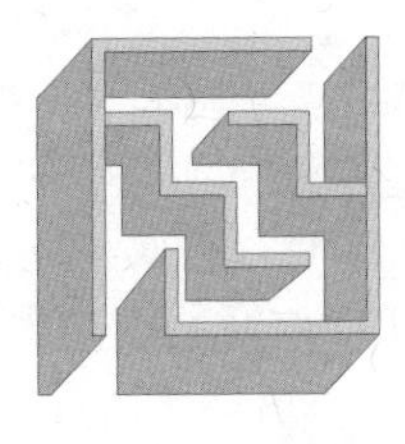

Pour vous en sortir

- Fixez-vous des buts à atteindre chaque jour ;
- Prenez soin de vous : allez chez le coiffeur, au cinéma, etc. ;
- Demandez-vous si vous devez vous contenter de quelque chose d'inférieur à votre idéal ;
- Rappelez-vous que votre vie vous appartient et que vous avez le droit d'en faire ce que vous voulez.

LA GROSSIÈRETÉ, un manque de savoir-vivre

PROVERBE ARABE À MÉDITER
La courtoisie ne coûte rien et achète tout.

Vous arrive-t-il de lancer des jurons ou de gagner quelques places dans une longue file d'attente ? Vous serez peut-être surpris d'apprendre qu'une personne sur quatre juge que la politesse n'est pas primordiale et que les bonnes manières à table ne sont pas une nécessité. Faites le test qui suit et découvrez si vous êtes aussi gentil et courtois que vous le croyez.

Test

☒ Manquez-vous de savoir-vivre ?

1. **Êtes-vous sans-gêne ?**

   Oui ❑ Non ❑

2. **Vous curez-vous les dents à la fin du repas en famille ?**

   Oui ❑ Non ❑

3. **Essayez-vous de vous faufiler dans une file d'attente ?**

   Oui ❑ Non ❑

4. **Lisez-vous votre journal à la table ?**

   Oui ❑ Non ❑

5. **Supprimez-vous le pourboire si le service est lamentable ?**

   Oui ❑ Non ❑

6. **Vous arrive-t-il de manquer de délicatesse envers les autres ?**

   Oui ❑ Non ❑

7. **Pouvez-vous avoir des commentaires désobligeants sur la tenue vestimentaire des autres ?**

   Oui ❑ Non ❑

8. **Pourriez-vous utiliser des mots choquants dans un accès d'impatience ?**

   Oui ❑ Non ❑

9. Lisez-vous le courrier d'autrui ?

Oui ❑ Non ❑

10. Faites-vous du bruit en mangeant ?

Oui ❑ Non ❑

11. Vous reproche-t-on votre manque de savoir-vivre ?

Oui ❑ Non ❑

12. Utilisez-vous des mots grossiers ?

Oui ❑ Non ❑

13. Raccrochez-vous le téléphone au nez des vendeurs ?

Oui ❑ Non ❑

14. Dites-vous des choses qu'il vaudrait mieux, par convenance, passer sous silence ?

Oui ❑ Non ❑

15. Auriez-vous besoin de suivre le cours 101 de bienséance ?

Oui ❑ Non ❑

16. Pouvez-vous être un cauchemar pour les serveurs au restaurant ?

Oui ❑ Non ❑

17. Vous a-ton déjà reproché d'être impoli ?

Oui ❑ Non ❑

18. Vous arrive-t-il de cracher par terre ?

Oui ❑ Non ❑

19. Lancez-vous des jurons ?

Oui ❑ Non ❑

20. Manquez-vous de raffinement ?

Oui ❑ Non ❑

Accordez-vous deux points pour chaque oui. Calculez votre score et reportez-vous au portrait qui lui correspond.

PLUTÔT COURTOIS

Votre total se situe entre 0 et 10 points.

Vous agissez avec politesse. Nul doute que vous êtes une personne affable et délicate.

PLUTÔT GROSSIER

Votre total se situe entre 12 et 22 points.

Vous n'appliquez pas le code de politesse. Vous manquez de raffinement, de finesse...

TRÈS GROSSIER

Votre total est de 24 points ou plus.

Chacun de nous a reçu un code de politesse durant l'enfance. Celui-ci peut varier en fonction de notre culture et de notre milieu social. Si votre comportement agace votre entourage, il serait bon de comprendre ces « différences ». Plusieurs solutions s'offrent à vous : ne rien changer ou faire des efforts pour modifier certaines de vos habitudes. Il est vrai que certaines personnes accumulent les goujateries... qui gênent les autres. En revanche, si vous faites partie de ces rustres qui parlent toujours sans politesse aux gens ou qui manquent carrément de savoir-vivre, il serait primordial de trouver les raisons qui vous poussent à agir de cette façon. Aucun prétexte ne peut excuser une telle attitude. L'image que vous projetez de vous-même ne peut vous apporter que de la haine. Il s'agit parfois de faire un petit effort... pour ne pas passer pour quelqu'un qui manque de culture, d'esprit ou de goût.

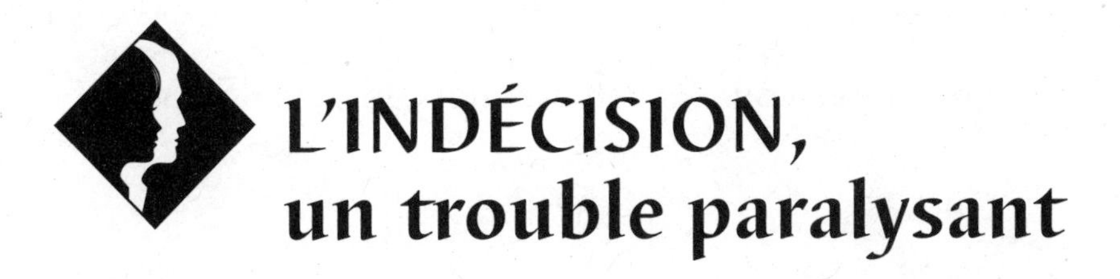

L'INDÉCISION, un trouble paralysant

PROVERBE GALLOIS À MÉDITER
Le chien qui a deux maîtres devient fou.

Certaines personnes n'arrivent jamais à se décider. Pour elles, prendre une décision est une épreuve. Très souvent, elles attendent que les autres décident à leur place. Il s'agit bien souvent d'une façon de ne pas assumer les conséquences de leurs choix ; elles évitent ainsi de se sentir coupables. Ce qui les empêche de prendre des décisions est leur manque d'estime d'elles-mêmes. Le test qui suit vous permettra de savoir si vous êtes indécis ou pas.

Test
Prendre une décision vous angoisse-t-il ?

1. **Avez-vous de la difficulté à défendre vos idées ?**
   Oui ❑ Non ❑

2. **Avez-vous du mal à refuser une invitation ?**
   Oui ❑ Non ❑

3. **Vous pliez-vous facilement aux caprices de vos enfants ?**
   Oui ❑ Non ❑

4. **Cédez-vous au chantage de l'un de vos parents ?**
   Oui ❑ Non ❑

5. **Avez-vous souvent l'impression que vous avez raté quelque chose ?**
   Oui ❑ Non ❑

6. **Vous arrive-t-il de tourner en rond ?**
   Oui ❑ Non ❑

7. **Votre démarche est-elle hésitante ?**
   Oui ❑ Non ❑

8. **Êtes-vous souvent distrait ?**
   Oui ❑ Non ❑

9. **Avez-vous de la difficulté à vous exprimer ?**
   Oui ❑ Non ❑

10. Vous arrive-t-il de vous sentir piégé ?

Oui ❑ Non ❑

11. Avez-vous beaucoup de contraintes ?

Oui ❑ Non ❑

12. Avez-vous l'impression que vous ne pouvez jamais dire non ?

Oui ❑ Non ❑

13. Êtes-vous de nature passive ?

Oui ❑ Non ❑

14. Êtes-vous une personne résignée ?

Oui ❑ Non ❑

15. Aimeriez-vous être partout à la fois ?

Oui ❑ Non ❑

16. Manquez-vous d'estime de vous ?

Oui ❑ Non ❑

17. Avez-vous peur de déplaire ?

Oui ❑ Non ❑

18. Préférez-vous rester dans l'ombre ?

Oui ❑ Non ❑

19. Êtes-vous conformiste ?

Oui ❑ Non ❑

20. Changez-vous souvent d'idée ?

Oui ❑ Non ❑

Accordez-vous deux points pour chaque oui. Calculez votre score et reportez-vous au portrait qui lui correspond.

PLUTÔT DÉCIDÉ

Votre total se situe entre 0 et 10 points.
Vous ne faites ni une ni deux ! Vous savez prendre des décisions sans tergiversations.

PLUTÔT INDÉCIS

Votre total se situe entre 12 et 20 points.
Parfois, vous évitez de prendre des décisions de peur de vous tromper. Rappelez-vous qu'il vaut mieux prendre ses propres décisions que laisser les autres décider pour nous !

TRÈS INDÉCIS

Votre total est de 22 points et plus.
Votre indécision vous paralyse ! Chaque décision que vous devez prendre vous angoisse. Vous ne prenez jamais le risque de passer à l'action parce que vous vous laissez porter par les autres. Votre attitude passive vous empêche même de trancher dans un sens ou dans l'autre. C'est en fait une façon de ne pas assumer les conséquences des choix que vous pourriez faire. Plutôt que de payer le prix, vous préférez l'incertitude. Sachez qu'il vaut mieux prendre une mauvaise décision que de n'en prendre aucune...

VOUS VIVEZ AVEC UN INDÉCIS...

Surtout, ne prenez pas de décision à sa place ! Il pourrait vous reprocher de faire de mauvais choix. Une personne indécise ne prend pas de décisions parce qu'elle a peur de l'échec. Aussi, aidez-la plutôt à exprimer concrètement les avantages et les inconvénients de prendre telle ou telle décision. Bien souvent, un indécis souffre d'un manque d'estime de lui-même. Il faut donc éviter d'aggraver l'image négative qu'il entretient de lui-même.

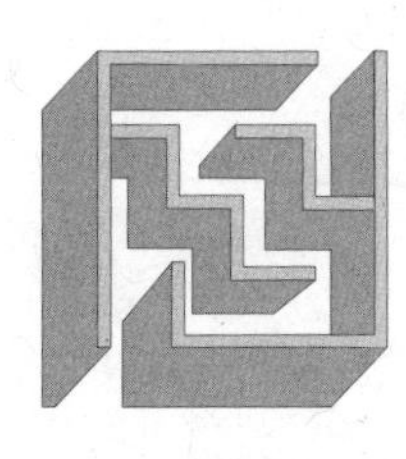

Pour vous en sortir

- Lorsque vous avez une décision à prendre, représentez-vous clairement les pour et les contre ;
- Définissez toujours avec précision ce que vous désirez faire ;
- Acceptez de prendre des risques ;
- Changez votre image de vous et profitez des occasions qui se présentent ;
- Ayez confiance en vous et assumez les conséquences de vos choix.

L'INFIDÉLITÉ, le vagabondage sexuel

PROVERBE CHINOIS À MÉDITER

Le vice empoisonne le plaisir, la passion le corrompt,
la tempérance l'aiguise, l'innocence le purifie,
la tendresse le double.

Instable ou égocentrique, le fait de passer d'un partenaire à l'autre est un mode de vie qui peut être à la limite d'une pathologie comportementale. Si vous faites partie de ceux qui ne peuvent ou ne veulent pas s'attacher d'une façon durable, et que vous préférez les liaisons épisodiques ou le vagabondage sexuel, dites-vous que ce style de vie sexuelle est peu gratifiant...

Ces personnes sont souvent à la recherche d'affection et d'intimité. Si elles savent comment s'y prendre pour séduire, elles ignorent comment exprimer leur besoin d'intimité. Pour elles, l'amour se trouve au bas de leur liste de priorités.

Pour savoir si vous êtes-vous de ceux qui se cachent derrière le masque de la séduction, faites le test qui suit sans plus tarder !

Test

ÊTES-VOUS fidèle ou volage ?

1. **Mes conquêtes amoureuses ? Je ne les compte plus !**
   D'accord ❑ Pas d'accord ❑

2. **Pour moi, il y a la passion et le plaisir.**
   D'accord ❑ Pas d'accord ❑

3. **Regards, sourires, flirt... Je capte tous les signaux de séduction qu'on me lance.**
   D'accord ❑ Pas d'accord ❑

4. **Je peux être provocant.**
   D'accord ❑ Pas d'accord ❑

5. **Les rendez-vous secrets ? Pourquoi pas !**
   D'accord ❑ Pas d'accord ❑

6. **Je n'ai pas peur du vide.**
   D'accord ❑ Pas d'accord ❑

7. **J'aime m'exprimer dans l'art érotique.**
   D'accord ❑ Pas d'accord ❑

8. **Je ne regarde jamais en arrière.**
   D'accord ❑ Pas d'accord ❑

9. C'est reparti, mon cœur bat la chamade.

D'accord ❑ Pas d'accord ❑

10. Je sais draguer.

D'accord ❑ Pas d'accord ❑

11. Se réveiller seul, c'est un cauchemar.

D'accord ❑ Pas d'accord ❑

12. Un troisième mariage, pourquoi pas!

D'accord ❑ Pas d'accord ❑

13. La réalité n'est pas à la hauteur de mon imaginaire.

D'accord ❑ Pas d'accord ❑

14. L'amour pour la vie? Je n'y crois pas.

D'accord ❑ Pas d'accord ❑

15. Je ne me fais guère d'illusions.

D'accord ❑ Pas d'accord ❑

16. À proscrire: l'harmonie et la sexualité de mon couple.

D'accord ❑ Pas d'accord ❑

17. Tendresse rime avec ivresse.

D'accord ❑ Pas d'accord ❑

18. La monotonie et la solitude ne sont pas pour moi.

D'accord ❑ Pas d'accord ❑

19. Je n'ai pas un cœur pur.

D'accord ❑ Pas d'accord ❑

20. Je suis loin d'être le conjoint de rêve.

D'accord ❑ Pas d'accord ❑

Accordez-vous trois points pour chacun des énoncés précédents avec lequel vous êtes d'accord. Calculez votre score et reportez-vous au portrait qui lui correspond.

PLUTÔT FIDÈLE

Votre total se situe entre 0 et 15 points.
Vous êtes constant dans votre vie conjugale.

PLUTÔT VOLAGE

Votre total se situe entre 18 et 33 points.
En amour, vos sentiments peuvent changer au gré de votre humeur !

TRÈS INFIDÈLE

Votre total est de 36 points ou plus.
Vous manquez carrément de fidélité en amour.

POUR VOUS EN SORTIR

- Cessez de théâtraliser vos émotions et essayez de trouver une personne avec qui vous vous sentirez suffisamment en sécurité pour vous épanouir ;

- Demandez-vous pourquoi vous préférez le flirt et les prouesses sexuelles plutôt qu'une relation intime ;
- Examinez attentivement vos problèmes d'intimité. La drague n'est pas un antidote au vide ou à l'ennui. La dénégation de vos sentiments profonds est opposée au plaisir que vous procurent ces soirées sans lendemain ;
- Ne vous laissez pas entraîner sur un nuage rose... L'amour peut transformer votre vie, vous rendre complètement différent. Rappelez-vous que la seule façon de briser le vide ou la solitude, c'est de vous lier profondément avec quelqu'un ;
- Évitez d'avoir des espoirs irréalistes en matière d'amour. Vous êtes peut-être marginal et il pourrait être injuste de vouloir vous contraindre à une vie de couple stable. Par ailleurs, si votre côté volage est relié à la lassitude de votre couple, vous devez tenter de réinvestir dans votre couple par de nouvelles expériences communes. Que diriez-vous d'un voyage dans un endroit exotique avec votre conjoint ? Ou d'un souper romantique sur le bord de la mer ? Votre couple est peut-être victime de la routine ; mettez-y un peu de fantaisie !

L'INHIBITION, une pauvre estime de soi

PROVERBE ESTONIEN À MÉDITER
On a vu des chiens mourir pour leurs maîtres,
jamais le contraire.

Physiquement, nous sommes tous différents. Pourtant, certains ne s'acceptent pas tels qu'ils sont. Ils trouvent leur nez trop retroussé, leur cou trop long, leurs yeux trop petits... Bref, ils ont un problème d'estime d'eux-mêmes et c'est tout leur pouvoir de séduction qui est mis en cause. Pour savoir si vous êtes bourré de complexes, faites le test qui suit.

Test

Avez-vous une image positive de vous ?

1. Je n'accepte pas mon excédent de poids et j'ai besoin d'être rassuré.

D'accord ❑ Pas d'accord ❑

2. J'ai subi au moins une chirurgie esthétique.

D'accord ❑ Pas d'accord ❑

3. J'ajuste continuellement mes lunettes en parlant.

D'accord ❑ Pas d'accord ❑

4. Mon habillement est toujours noir et ample.

D'accord ❑ Pas d'accord ❑

5. Je me compare souvent aux personnes du même sexe.

D'accord ❑ Pas d'accord ❑

6. Je n'aime pas que l'on prenne ma photo.

D'accord ❑ Pas d'accord ❑

7. Je n'hésiterais pas à rajeunir mon visage grâce à un lifting.

D'accord ❑ Pas d'accord ❑

8. J'ai toujours peur que l'on me perçoive de façon négative.

D'accord ❑ Pas d'accord ❑

9. J'éteins la lumière avant de faire l'amour.

D'accord ❑ Pas d'accord ❑

10. Je me regarde très souvent dans le miroir.

D'accord ❑ Pas d'accord ❑

11. Je suis déprimé par le fait que je vieillis.

D'accord ❑ Pas d'accord ❑

12. Je n'aime pas ma taille. Je suis trop petit, trop grand...

D'accord ❑ Pas d'accord ❑

13. Je suis comme la plupart des gens, je ne suis pas satisfait de mon corps.

D'accord ❑ Pas d'accord ❑

14. Je mets un temps fou à me choisir une tenue.

D'accord ❑ Pas d'accord ❑

15. Je suis en quête de la perfection physique.

D'accord ❑ Pas d'accord ❑

16. J'ai peur de décevoir les autres.

D'accord ❑ Pas d'accord ❑

17. Je n'ai pas de sex-appeal.

D'accord ❑ Pas d'accord ❑

18. Je ne réponds pas aux critères de la mode.

D'accord ❑ Pas d'accord ❑

19. J'ai peur que l'on ne remarque que mes défauts.

D'accord ❑ Pas d'accord ❑

20. Je refuse une partie de moi-même.

D'accord ❑ Pas d'accord ❑

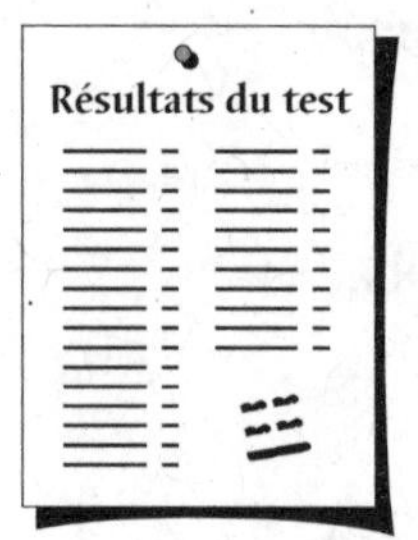

Accordez-vous trois points pour chacun des énoncés précédents avec lequel vous êtes d'accord. Calculez votre score et reportez-vous au portrait qui lui correspond.

PLUTÔT BIEN DANS VOTRE PEAU

Votre total se situe entre 0 et 18 points.
Vous vous assumez tel que vous êtes.

PLUTÔT COINCÉ

Votre total se situe entre 21 et 39 points.
Si vous pensez que vous avez un peu trop grossi ou que votre apparence laisse à désirer ces temps-ci, utilisez ce défi pour faire quelque chose. Quoi que vous en pensiez, si vous vous aimez, quelques kilos superflus ne changeront rien pour votre entourage. En revanche, si vous êtes très complexé, ce n'est pas nécessairement le bistouri d'un chirurgien qui peut résoudre votre problème ; il vous faut plutôt un peu de courage et une certaine lucidité pour que ces petits défauts cessent de vous gâcher la vie.

TRÈS INHIBÉ

Votre total est de 42 points ou plus.
Est-ce vraiment parce que vous avez pris un peu de poids ou que quelques rides sont apparues que vous n'êtes pas séduisant ? Tâchez d'être lucide et de voir si vos complexes ne cachent pas d'autres mécontentements... Interrogez vos amis et vous verrez que tout le monde a une particularité physique qu'il aimerait corriger. Cela n'empêche pas la terre de continuer à tourner !

POUR VOUS EN SORTIR

Sachez que pour reconquérir l'estime de vous, vous devez vous poser les bonnes questions et y répondre. Ces complexes sont parfois comme une sorte d'alibi qui dissimule un problème d'acceptation. Même si cela peut paraître difficile, vous devez commencez à vous aimer... pour ce que vous êtes. Mais si l'évaluation que vous faites de vous-même est trop négative, vous n'arriverez probablement pas à avoir une image positive de vous. Rien ne sert de demander l'impossible. Il vaut mieux partir... sans complexe à la recherche du bonheur. N'allez surtout pas vous embrouiller avec de petits défauts. Donnez-vous aussi le plaisir de réaliser quelques rêves et veillez à ce que ces complexes ne vous éloignent pas de vous-même. Seule une bonne réflexion pourra vous aider à reconstruire votre estime de vous-même. Car il vous appartient d'accepter ces différences.

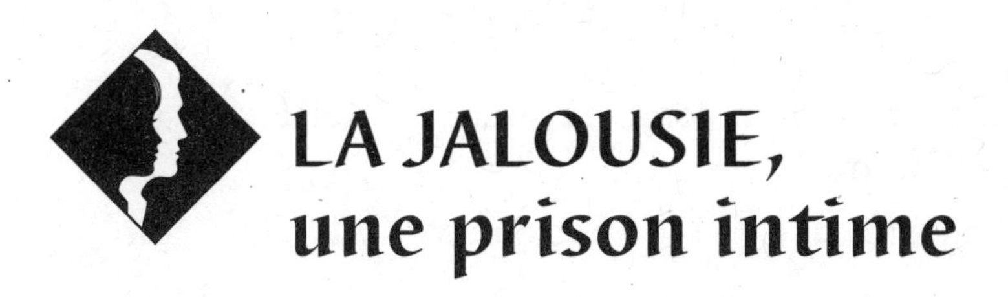

LA JALOUSIE, une prison intime

PROVERBE ARABE À MÉDITER

Deux scorpions dans le même trou s'accommodent mieux que deux sœurs dans la même maison.

Qui n'a pas ressenti de la jalousie à un moment ou à un autre ? Bien peu de personnes. La jalousie est une émotion normale lorsqu'on se sent menacé de perdre l'amour de l'autre, son attention, etc. Une personne excessivement jalouse tentera de contrôler la vie de l'autre. Ce comportement est inadéquat et risque de détruire sa relation. C'est aussi une façon de réagir qui n'a rien à voir avec les sentiments ou la fidélité de l'autre. La jalousie excessive provient d'un manque de confiance en soi et peut mener à la violence physique. Pour savoir si vous êtes complaisant ou jaloux, faites le test qui suit.

Test Tentez-vous de contrôler la vie de l'autre ?

1. **La jalousie est une preuve d'amour.**
   D'accord ❑ Pas d'accord ❑

2. **Je n'ai pas confiance en moi.**
   D'accord ❑ Pas d'accord ❑

3. **Je domine mon conjoint pour faire taire mes doutes.**
   D'accord ❑ Pas d'accord ❑

4. **La jalousie est essentielle à l'amour.**
   D'accord ❑ Pas d'accord ❑

5. **L'emprise des hommes sur les femmes est normale.**
   D'accord ❑ Pas d'accord ❑

6. **Je ne supporte pas les lettres et les photos de son *ex*.**
   D'accord ❑ Pas d'accord ❑

7. **Je jette un coup d'œil occasionnel sur le journal intime de ma douce moitié.**
   D'accord ❑ Pas d'accord ❑

8. **Je tends l'oreille lorsque mon conjoint a une conversation téléphonique.**
   D'accord ❑ Pas d'accord ❑

9. **Je désire maîtriser mon conjoint.**
   D'accord ❑ Pas d'accord ❑

10. On n'est jaloux que de ceux qu'on aime.

D'accord ❑ Pas d'accord ❑

11. J'ai tendance à être possessif.

D'accord ❑ Pas d'accord ❑

12. Je vérifie les numéros de téléphone dans le carnet de mon conjoint.

D'accord ❑ Pas d'accord ❑

13. J'ai détruit un souvenir appartenant à l'ex de mon conjoint.

D'accord ❑ Pas d'accord ❑

14. J'aimerais empêcher mon conjoint de regarder le sexe opposé.

D'accord ❑ Pas d'accord ❑

15. Je surveille les allées et venues de mon conjoint.

D'accord ❑ Pas d'accord ❑

Accordez-vous trois points pour chacun des énoncés précédents avec lequel vous êtes d'accord. Calculez votre score et reportez-vous au portrait qui lui correspond.

PLUTÔT CONFIANT

Votre total se situe entre 0 et 9 points.

Pour vous, la jalousie n'est pas une preuve d'amour. Vous savez faire confiance à l'autre.

PLUTÔT JALOUX

Votre total se situe entre 12 et 18 points.

Vous êtes assez inquisiteur et tentez de contrôler la vie des autres.

TRÈS JALOUX

Votre total est de 21 points ou plus.

En amour, vous donnez bien du fil à retordre à l'être aimé. Personne n'est prêt à souffrir tous les maux. Et comme vous l'avez compris à demi-mot, votre tyrannie ne fait qu'éloigner l'autre. La jalousie excessive est une forme de violence. Ne l'oubliez pas !

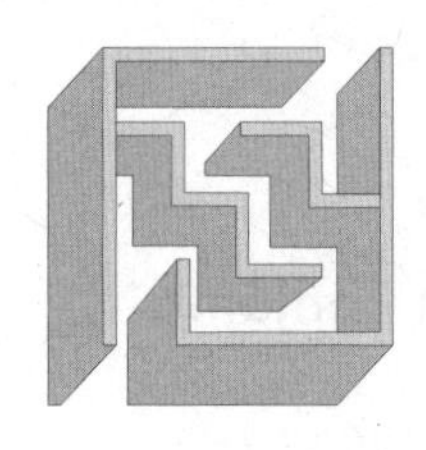

Pour vous en sortir

- Prenez conscience que votre comportement est néfaste ;
- Fixez-vous des objectifs réalistes ;
- Apprenez à gérer votre jalousie.

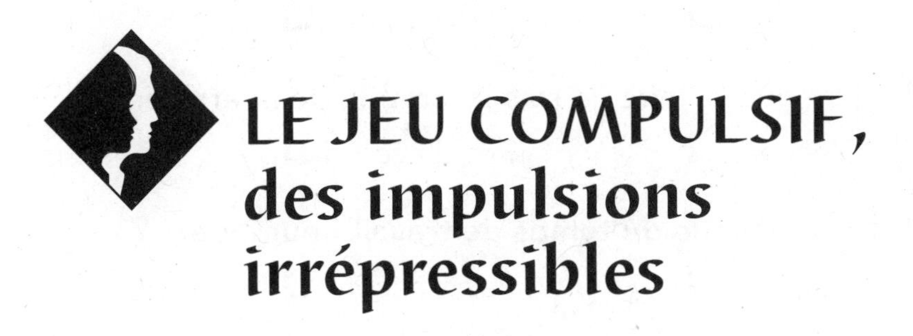

LE JEU COMPULSIF, des impulsions irrépressibles

PROVERBE PERSAN À MÉDITER

Trois choses ne s'obtiennent pas grâce aux trois autres :
la richesse grâce au désir, la jeunesse grâce au fard,
la santé grâce aux médicaments.

Les joueurs compulsifs sont généralement dominateurs et manipulateurs ; ils ont une pauvre estime d'eux-mêmes. Un des premiers indices que le jeu est devenu un problème est lorsque celui-ci ne procure plus de plaisir. Les joueurs compulsifs croient souvent qu'ils peuvent développer un système infaillible pour s'enrichir. Victimes de grandes tensions, ils jouent pour répondre à des impulsions irrépressibles qui les mènent souvent au surendettement, à la faillite ou même au suicide.

Test

ÊTES-VOUS un joueur compulsif ?

1. **Il est amusant de parier.**
   D'accord ❑ Pas d'accord ❑

2. **J'ai perdu beaucoup d'argent au jeu.**
   D'accord ❑ Pas d'accord ❑

3. **Lorsque je joue, je suis incapable de m'arrêter.**
   D'accord ❑ Pas d'accord ❑

4. **J'ai manqué du temps de travail pour jouer.**
   D'accord ❑ Pas d'accord ❑

5. **Ma passion pour le jeu nuit à ma vie familiale.**
   D'accord ❑ Pas d'accord ❑

6. **Il m'est arrivé de jouer pour tenter de régler des dettes.**
   D'accord ❑ Pas d'accord ❑

7. **J'ai déjà perdu au jeu tout ce que j'avais en poche.**
   D'accord ❑ Pas d'accord ❑

8. **J'ai emprunté de l'argent pour rembourser une dette de jeu.**
   D'accord ❑ Pas d'accord ❑

9. **Le crime pourrait être un moyen de financer mes habitudes de jeu.**
   D'accord ❑ Pas d'accord ❑

10. Le jeu peut m'empêcher de dormir.

D'accord ❑ Pas d'accord ❑

11. Le jeu peut être une façon pour moi d'échapper à la réalité.

D'accord ❑ Pas d'accord ❑

12. Il m'est arrivé de jouer avec de l'argent destiné à régler mes comptes.

D'accord ❑ Pas d'accord ❑

13. Lorsque je gagne, je veux continuer à jouer pour gagner davantage.

D'accord ❑ Pas d'accord ❑

14. Le jeu est une drogue pour moi.

D'accord ❑ Pas d'accord ❑

15. Lorsque je suis déçu ou désemparé, j'ai le goût de jouer.

D'accord ❑ Pas d'accord ❑

Accordez-vous trois points pour chacun des énoncés précédents avec lequel vous êtes d'accord. Calculez votre score et reportez-vous au portrait qui lui correspond.

PLUTÔT INDIFFÉRENT AU JEU

Votre total se situe entre 0 et 9 points.

Même si vous aimez le jeu, cela ne fait pas de vous un drogué du jeu.

PLUTÔT PASSIONNÉ DU JEU

Votre total se situe entre 12 et 18 points.

Votre comportement face au jeu n'est pas pathologique. Toutefois, faites attention de ne pas tomber dans le piège.

COMPLÈTEMENT JOUEUR COMPULSIF

Votre total est de 21 points ou plus.

Vous avez tous les symptômes de la compulsion du jeu.

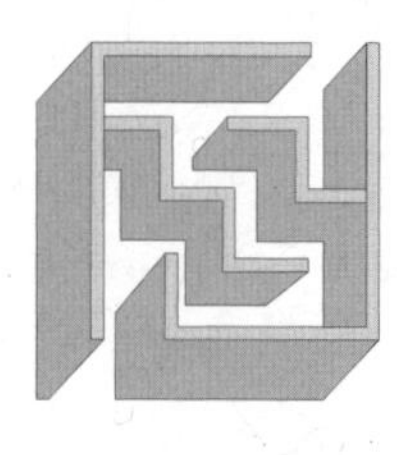

POUR VOUS EN SORTIR

- Dites-vous que vous pouvez éliminer cette mauvaise habitude. Vous avez probablement plus de contrôle sur vos habitudes que vous n'êtes prêt à l'admettre ;
- Chaque fois que vous souffrez d'une rechute, renouvelez votre engagement à ne plus jouer ;
- Ne cherchez pas d'excuses et ne blâmez pas les autres afin de justifier le jeu ;
- Si vous n'arrivez pas à résister au jeu, demandez de l'aide professionnelle. Ne laissez pas la honte vous empêcher de la solliciter.

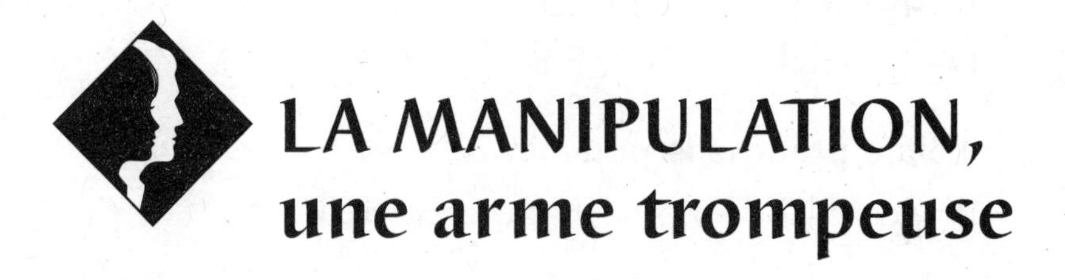

LA MANIPULATION, une arme trompeuse

PROVERBE ITALIEN À MÉDITER
De mensonges et de tromperies, on vit le long de l'année.

Le manipulateur n'hésite pas à utiliser le mensonge pour tromper les autres. Mais il peut aussi user de flatteries, de marques de confiance, de remarques acerbes, de reproches... ou même du silence. Il est prêt à tout pour parvenir à ses fins. Pour savoir si vous avez une forte tendance à la manipulation, faites le test qui suit.

Test Avez-vous tendance à manipuler les autres ?

1. **J'aime créer une impression sur les autres.**
   D'accord ❑ Pas d'accord ❑

2. **Je n'hésite pas à employer la flatterie pour obtenir ce que je veux.**
   D'accord ❑ Pas d'accord ❑

3. **J'aime prendre le pouvoir.**
   D'accord ❑ Pas d'accord ❑

4. **Les gens doivent être d'accord avec ce que je dis.**
   D'accord ❑ Pas d'accord ❑

5. **Je culpabilise les autres au nom de l'amitié.**
   D'accord ❑ Pas d'accord ❑

6. **Je me démets de mes propres responsabilités.**
   D'accord ❑ Pas d'accord ❑

7. **Je change mes opinions selon les personnes avec qui je suis.**
   D'accord ❑ Pas d'accord ❑

8. **J'exagère ma souffrance.**
   D'accord ❑ Pas d'accord ❑

9. **Je déguise parfois mes menaces.**
   D'accord ❑ Pas d'accord ❑

10. Je peux déformer la vérité.

D'accord ❑ Pas d'accord ❑

11. Je suis égocentrique.

D'accord ❑ Pas d'accord ❑

12. Je peux nier l'évidence.

D'accord ❑ Pas d'accord ❑

13. Je mets souvent les gens mal à l'aise.

D'accord ❑ Pas d'accord ❑

14. Je suis prêt à tout pour atteindre mes buts.

D'accord ❑ Pas d'accord ❑

15. Je ne supporte pas la critique.

D'accord ❑ Pas d'accord ❑

16. Je mise parfois sur l'ignorance des autres.

D'accord ❑ Pas d'accord ❑

17. J'aime prouver ma supériorité.

D'accord ❑ Pas d'accord ❑

18. Je ne tiens pas compte des besoins des autres.

D'accord ❑ Pas d'accord ❑

19. J'attends souvent à la dernière minute pour formuler une demande.

D'accord ❑ Pas d'accord ❑

20. Je mens lorsque c'est nécessaire.

D'accord ❑ Pas d'accord ❑

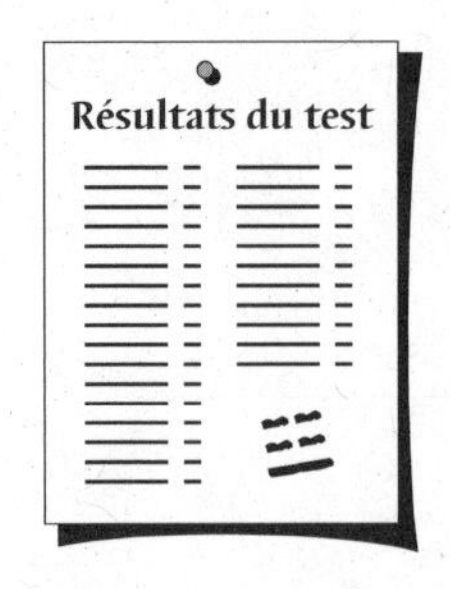

Accordez-vous trois points pour chacun des énoncés précédents avec lequel vous êtes d'accord. Calculez votre score et reportez-vous au portrait qui lui correspond.

PLUTÔT NORMAL

Votre total se situe entre 0 et 15 points.

Pour vous, le monde serait en paix si les manipulateurs disparaissaient... Vous êtes franchement contre les machinations !

PLUTÔT MANIPULATEUR

Votre total se situe entre 18 et 33 points.

Vous avez tendance à manipuler les autres. Mais ne culpabilisez pas, vous n'êtes pas le seul !

TRÈS MANIPULATEUR

Votre total est de 36 points ou plus.

Votre secret est la tromperie : vous faites tout pour parvenir à vos fins ! Vous n'hésitez pas à porter un masque pour obtenir ce que vous désirez. Vous devez cesser d'abuser de la confiance des autres.

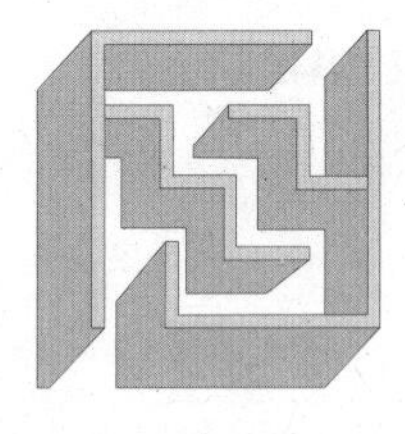

Pour vous en sortir

- Apprenez à exprimer vos sentiments tels qu'ils sont ;
- N'ayez pas peur de dire la vérité, peu importent les conséquences ;

- Soyez maître de votre vie en acceptant votre vraie nature ;
- Valorisez vos relations interpersonnelles ;
- Jouez franc-jeu.

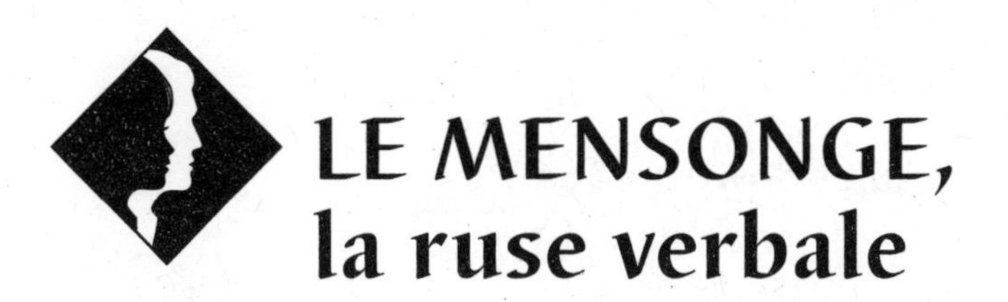

LE MENSONGE, la ruse verbale

PROVERBE CHINOIS À MÉDITER

Il est difficile d'attraper un chat noir dans une pièce sombre, surtout lorsqu'il n'y est pas.

L'adulte moyen ment au moins deux fois par jour : c'est beaucoup, direz-vous. Peut-être pas... Que répondez-vous quand quelqu'un vous demande combien vous a coûté votre nouveau sac ? Même si vous considérez que cette question est plutôt indiscrète (d'autant plus que vous l'avez acheté en solde), vous lui répondrez que vous ne vous en souvenez plus... Un bien petit mensonge qui ne fait de mal à personne ! Mais qu'en est-il de ces mythomanes qui usent délibérément de leur ruse verbale pour ne pas dire la vérité ? Hypocrites jusqu'au fond de l'âme, ils se servent du mensonge comme procédé d'évitement. Pire, les mythomanes sont victimes de leurs propres mensonges, puisqu'ils en viennent même à les croire ! Le jeu test qui suit vous permettra de tester votre sincérité. Osez répondre la vérité !

Test
Dites-vous toujours la vérité ?

Vous arrive-t-il de :

1. **Mentir au sujet de votre âge ?**
   Oui ❑ Non ❑

2. **Déguiser un peu la vérité ?**
   Oui ❑ Non ❑

3. **Vous offrir une journée de congé pour magasiner ?**
   Oui ❑ Non ❑

4. **Tricher aux cartes ?**
   Oui ❑ Non ❑

5. **Changer une étiquette pour payer un article moins cher ?**
   Oui ❑ Non ❑

6. **Réserver une table au restaurant sous un faux nom ?**
   Oui ❑ Non ❑

7. **Simuler votre plaisir au lit ?**
   Oui ❑ Non ❑

8. **Raconter une histoire abracadabrante en guise d'excuse pour un rendez-vous oublié ?**

   Oui ❑ Non ❑

9. **Dire à un créancier que votre chèque est déjà à la poste ?**

   Oui ❑ Non ❑

10. **Dire à un enfant que le père Noël existe ?**

    Oui ❑ Non ❑

11. **Colorer vos cheveux pour cacher vos cheveux gris ?**

    Oui ❑ Non ❑

12. **Dire que vous êtes « naturellement » mince ?**

    Oui ❑ Non ❑

13. **Enjoliver votre curriculum vitæ ?**

    Oui ❑ Non ❑

14. **Improviser sur un sujet qui vous est étranger pour masquer vos lacunes ?**

    Oui ❑ Non ❑

15. **Porter un vêtement au moins une fois et de le rapporter au magasin ?**

    Oui ❑ Non ❑

16. **Empocher plus d'argent que ce qui vous est dû à une caisse ?**

    Oui ❑ Non ❑

17. **Emporter les serviettes de bain de l'hôtel ?**

    Oui ❑ Non ❑

18. Gonfler une estimation pour obtenir un meilleur remboursement de vos assurances ?

Oui ❑ Non ❑

19. Tricher lors d'un examen ?

Oui ❑ Non ❑

20. Donner un faux numéro de téléphone ?

Oui ❑ Non ❑

Accordez-vous deux points pour chaque oui. Calculez votre score et reportez-vous au portrait qui lui correspond.

PLUTÔT SINCÈRE

Votre total se situe entre 0 et 10 points.
Foncièrement honnête, vous avez l'habitude de dire la vérité.

PLUTÔT MENTEUR

Votre total se situe entre 12 et 20 points.
Vous avez péché...

TRÈS MENTEUR

Votre total est de 22 points ou plus.
Vous ne voulez peut-être pas l'admettre, mais c'est monnaie courante pour vous de donner pour vrai ce que vous savez être faux.

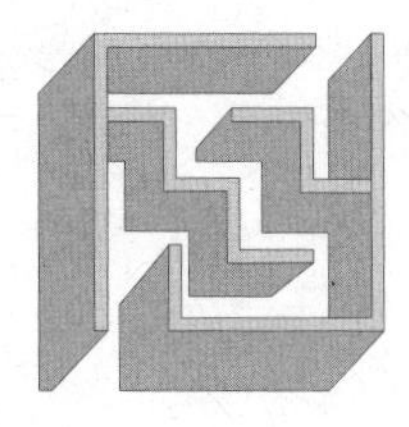

Pour vous en sortir

- Apprenez à compter sur vos propres aptitudes et sur vos ressources ;
- Apprenez à exprimer vos sentiments, quels qu'ils soient ;
- Dites la vérité, peu importent les conséquences ;
- Soyez vous-même et cessez de vouloir créer une impression.

LE NARCISSISME, le culte du moi

PROVERBE CHINOIS À MÉDITER
Moins on a d'esprit, plus on a de vanité.

Souffrez-vous du culte du nombrilisme ? On dit que les femmes sont plus narcissiques que les hommes... Elles cèdent plus facilement à l'envie de vérifier leur tête chaque fois qu'elles passent devant un miroir. L'apparence est souvent ce qui importe le plus aux narcissiques. Bien que très peu de personnes se décrivent comme une réussite de la nature, une personne sur cinq est préoccupée par sa propre image ! Faites le test qui suit et voyez quelle image il renvoie de vous.

Test Avez-vous les pieds pris dans votre égotisme ?

1. **Essayez-vous d'impressionner les autres par votre richesse ou vos exploits ?**

   Oui ❑ Non ❑

2. **Aimez-vous faire sentir aux autres qu'ils sont en présence de quelqu'un d'extraordinaire ?**

   Oui ❑ Non ❑

3. **Mettez-vous votre partenaire sur un piédestal ?**

   Oui ❑ Non ❑

4. **Avez-vous besoin de quelqu'un qui a beaucoup de temps à vous consacrer ?**

   Oui ❑ Non ❑

5. **Préférez-vous paraître jeune plutôt que de penser jeune ?**

   Oui ❑ Non ❑

6. **Avez-vous déjà fait appel à la chirurgie esthétique ?**

   Oui ❑ Non ❑

7. **Souhaitez-vous perdre quelques kilos ?**

   Oui ❑ Non ❑

8. **Aimeriez-vous changer quelque chose dans votre physique ?**

   Oui ❑ Non ❑

9. **La vanité peut-elle être une qualité selon vous ?**

   Oui ❑ Non ❑

10. **Accepteriez-vous de souffrir pour conserver votre apparence ?**

    Oui ❑ Non ❑

11. **Vous arrive-t-il de fabuler sur votre âge réel ?**

    Oui ❑ Non ❑

12. **Le fait d'acheter des vêtements vous rend-il heureux ?**

    Oui ❑ Non ❑

13. **Êtes-vous très préoccupé par vos idées ?**

    Oui ❑ Non ❑

14. **Avez-vous l'impression de perdre votre temps lorsque vous effectuez des tâches ménagères ?**

    Oui ❑ Non ❑

15. **Vous arrive-t-il d'emprunter les goûts ou les opinions des autres ?**

    Oui ❑ Non ❑

16. **Êtes-vous facilement distrait lorsqu'on vous parle ?**

    Oui ❑ Non ❑

17. **Avez-vous une bonne opinion de vous ?**

    Oui ❑ Non ❑

18. **Avez-vous un quotient intellectuel plus élevé que la moyenne ?**

    Oui ❑ Non ❑

19. Avez-vous l'impression d'avoir toujours raison ?

Oui ❑ Non ❑

20. Êtes-vous réfractaire au changement ?

Oui ❑ Non ❑

21. Passez-vous un temps fou devant le miroir ?

Oui ❑ Non ❑

Accordez-vous deux points pour chaque oui. Calculez votre score et reportez-vous au portrait qui lui correspond.

PLUTÔT NORMAL

Votre total se situe entre 0 et 10 points.
Vous vous estimez à votre juste valeur.

PLUTÔT NARCISSIQUE

Votre total se situe entre 12 et 24 points.
Votre estime de vous est quelque peu déséquilibrée.

TRÈS NARCISSIQUE

Votre total est de 26 points ou plus.
Vous portez une attention exclusive à vous-même.

Pour vous en sortir

Avez-vous besoin que les gens vous admirent ? Ou êtes-vous incapable d'admettre la moindre imperfection ? Si c'est le cas, vous vous donnez beaucoup d'importance et pouvez exagérer vos compétences. Vous avez une haute opinion de vous-même et regardez les autres avec condescendance. Préoccupé par le succès, la beauté ou l'amour parfait, vous avez probablement des relations conflictuelles avec ceux qui vous côtoient. Votre quête de la perfection est une manière de vous protéger. Vous êtes un être souffrant qui essaie de ressembler à ce que vous imaginez que les autres attendent de vous. Vous basez vos rapports avec les autres sur vos illusions. Obsédé par ce que les gens pensent de vous, vous possédez seulement les apparences d'une personne « supérieure » aux autres.

- Un excellent moyen d'appréhender votre véritable personnalité est de commencer à réfléchir sur vous-même ;
- Ne blâmez pas les autres pour vos désappointements personnels ;
- Aspirez à une vie affective plus active ;
- Pour améliorer vos relations avec les autres, percevez ce qu'ils ressentent. N'oubliez pas que les gens vrais, naturels et francs vous aimeront même si vous n'êtes pas… parfait.

LA PARESSE, le moindre effort

PROVERBE CHINOIS À MÉDITER
Le moment donné par le hasard vaut mieux
que le moment choisi.

Certaines personnes sont insensibles au manque d'action. Plus ou moins contemplatives, elles ont fondamentalement besoin de ne rien faire... pour être bien ! On a l'impression qu'elles ne sont pas faites pour travailler. Pour ces personnes, l'inactivité les satisfait. Insensibles au manque d'action, on les qualifie parfois (et peut-être injustement) de tire-au-flanc... Le test qui suit vous permettra de découvrir si vous êtes un adepte du moindre effort.

Test ÊTES-VOUS un adepte du moindre effort ?

1. **Votre premier réflexe est-il de travailler moins ?**

   Oui ❑ Non ❑

2. **Aimez-vous cette sensation d'être libre quand les autres travaillent ?**

   Oui ❑ Non ❑

3. **Les horaires « normaux » vous sont-ils insupportables ?**

   Oui ❑ Non ❑

4. **Avez-vous tendance à surveiller vos horaires ?**

   Oui ❑ Non ❑

5. **Vous arrive-t-il de ne pas terminer un travail ?**

   Oui ❑ Non ❑

6. **Aimez-vous rester immobile ?**

   Oui ❑ Non ❑

7. **Aimeriez-vous être toujours en vacances ?**

   Oui ❑ Non ❑

8. **Marchez-vous d'un pas lourd ?**

   Oui ❑ Non ❑

9. **Remettez-vous toujours à demain ce que vous avez à faire aujourd'hui ?**

   Oui ❑ Non ❑

10. La performance est-elle un piège dangereux selon vous ?

Oui ❑ Non ❑

11. Trouvez-vous votre équilibre dans une vie tranquille ?

Oui ❑ Non ❑

12. Votre priorité est-elle de ne rien faire ?

Oui ❑ Non ❑

13. Votre travail exige-t-il une grande énergie émotionnelle ?

Oui ❑ Non ❑

14. Attendez-vous souvent à la dernière minute pour faire un travail important ?

Oui ❑ Non ❑

15. Votre vision du travail est-elle négative ?

Oui ❑ Non ❑

16. Avez-vous une image négative de vous ?

Oui ❑ Non ❑

17. Manquez-vous de motivation ?

Oui ❑ Non ❑

18. Avez-vous de la difficulté à commencer un travail ?

Oui ❑ Non ❑

19. Éprouvez-vous du plaisir à ne rien faire ?

Oui ❑ Non ❑

20. Vous sentez-vous coupable de travailler ?

Oui ❑ Non ❑

21. Recherchez-vous les petits bonheurs ?

Oui ❑ Non ❑

22. Vous reproche-t-on de ne jamais en faire assez ?

Oui ❑ Non ❑

23. Votre leitmotiv est-il celui de la loi du moindre effort ?

Oui ❑ Non ❑

Accordez-vous deux points pour chaque oui. Calculez votre score et reportez-vous au portrait qui lui correspond.

PLUTÔT ACTIF

Votre total se situe entre 0 et 10 points.

Vous assumez facilement les responsabilités et vous êtes pour les décisions rapides. L'inaction, ce n'est pas pour vous !

PLUTÔT PARESSEUX

Votre total se situe entre 12 et 24 points.

Plus par indifférence que par paresse, vous n'êtes pas pressé de faire ce que l'on vous demande. Vous pouvez aussi réagir avec un peu de retard. Est-ce par paresse ?

TRÈS PARESSEUX

Votre total est de 26 points ou plus.

Nul doute, vous aimez l'inaction. Mais d'où vient cette apathie ? Tentez de voir pourquoi vous ne passez pas à l'action.

POUR VOUS EN SORTIR

La paresse n'existe pas... C'est plutôt une absence de motivation ou une incapacité à passer à l'action. Il n'y a rien de mal à rejeter la performance ou à faire le deuil de la réussite au nom de la qualité de vie. Mais si votre « paresse » ou votre manque de motivation résulte d'un problème, l'idéal est de transformer progressivement votre façon de penser. Le travail en soi n'est pas quelque chose de sacré ; en revanche, vous devez vous assurer que votre travail vous apporte une satisfaction. L'ennui peut conduire à la paresse...

Pour réussir votre vie professionnelle, vous devez :

- développer vos potentialités dans le travail ;
- gérer votre stress ;
- rechercher l'équilibre et l'harmonie.

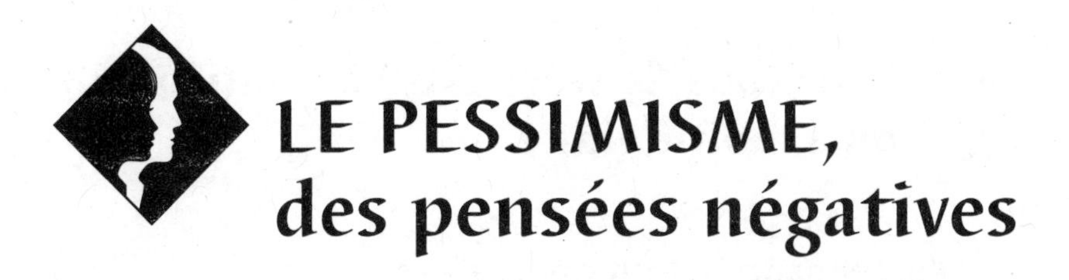

LE PESSIMISME, des pensées négatives

PROVERBE SOUFI À MÉDITER
L'optimisme vient de Dieu, le pessimisme est né dans le cerveau de l'homme.

Certaines circonstances de la vie peuvent vous amener à vivre des expériences plus ou moins difficiles. Si vous ne voyez toujours que le mauvais côté des choses, vous allez penser que ces circonstances défavorables découlent de causes permanentes et vous n'arriverez pas à trouver de vraies solutions à ces difficultés.

Les statistiques démontrent que près de 10 % des gens se considèrent comme des pessimistes invétérés. C'est par la façon dont ils s'expliquent les événements qu'ils le deviennent. Ces personnes voient plus facilement le mauvais côté des choses que le bon. Elles n'arrivent pas à surmonter leurs difficultés et créent ainsi une accoutumance aux pensées négatives. Aussi, lorsqu'un événement positif leur arrive, elles l'attribuent au hasard ou aux grands efforts additionnels qu'elles ont déployés. Elles sont portées à être mécontentes du présent et inquiètes de l'avenir.

Et vous, avez-vous tendance à être pessimiste ? Faites le test qui suit et vous découvrirez quelle est votre disposition d'esprit.

Test — Pour vous, le verre est-il à moitié plein ou à moitié vide ?

1. **J'ai tendance à tout généraliser.**
   D'accord ❑ Pas d'accord ❑

2. **J'extériorise mes difficultés.**
   D'accord ❑ Pas d'accord ❑

3. **J'ai souvent des idées négatives.**
   D'accord ❑ Pas d'accord ❑

4. **J'ai une faible estime de moi.**
   D'accord ❑ Pas d'accord ❑

5. **J'ai l'impression qu'il n'y a jamais rien de bon qui m'arrive.**
   D'accord ❑ Pas d'accord ❑

6. **Je ne trouve jamais de solutions à mes difficultés.**
   D'accord ❑ Pas d'accord ❑

7. **Je suis souvent déprimé.**
   D'accord ❑ Pas d'accord ❑

8. J'ai tendance à répéter les mêmes choses.

D'accord ❑ Pas d'accord ❑

9. Je suis souvent désemparé.

D'accord ❑ Pas d'accord ❑

10. La vie ne m'apporte que des problèmes.

D'accord ❑ Pas d'accord ❑

11. Je n'ai pas un avenir prometteur.

D'accord ❑ Pas d'accord ❑

12. Je ne me sens pas en sécurité.

D'accord ❑ Pas d'accord ❑

13. Je m'apitoie sur mon sort.

D'accord ❑ Pas d'accord ❑

14. Tout est pour le mieux dans ce monde.

D'accord ❑ Pas d'accord ❑

15. Je n'ai pas beaucoup de chance.

D'accord ❑ Pas d'accord ❑

16. Mon apparence physique n'a guère d'importance.

D'accord ❑ Pas d'accord ❑

17. J'ai de nombreux échecs.

D'accord ❑ Pas d'accord ❑

18. Tout finit par se régler.

D'accord ❑ Pas d'accord ❑

19. Le mot « jamais » fait partie de mon vocabulaire.

D'accord ❑ Pas d'accord ❑

20. Il est inutile d'améliorer ses relations avec les autres.

D'accord ❑ Pas d'accord ❑

Accordez-vous trois points pour chacun des énoncés précédents avec lequel vous êtes d'accord. Calculez votre score et reportez-vous au portrait qui lui correspond.

PLUTÔT OPTIMISTE

Votre total se situe entre 0 et 18 points.
Vous êtes positif.

PLUTÔT PESSIMISTE

Votre total se situe entre 21 et 39 points.
Il vous arrive de voir le mauvais côté des choses plutôt que le bon. Vous pourriez devenir pessimiste si vous persistez à penser que les circonstances qui vous amènent à vivre une situation désagréable découlent de causes permanentes.

TRÈS PESSIMISTE

Votre total est de 42 points ou plus.
Vous arrivez très facilement à voir le mauvais côté des choses et très difficilement à voir le bon. Vous devez trouver un sens à votre existence en essayant d'entrevoir un petit rayon d'espoir au milieu de ce ciel bien obscurci par vos tracas.

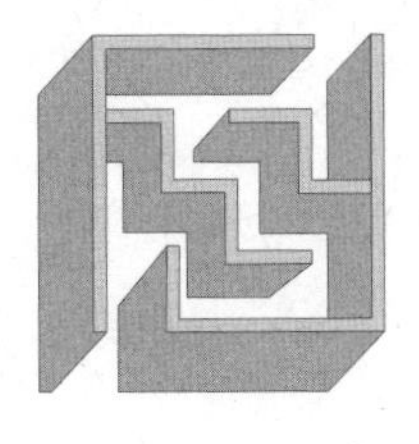

Pour vous en sortir

- Attention à la lassitude ! Elle ne peut que vous ralentir.
- Faites des choses qui vous plaisent.
- Tant que vous n'arriverez pas à voir la vie du bon côté, vous ne vous sentirez pas capable d'être heureux. Sans doute vous demandez-vous ce que vous avez fait pour ne pas mériter mieux. Il est difficile, dans ces conditions, de voir l'avenir d'un bon œil. Vous n'êtes probablement pas si loin de votre but.
- Sachez qu'aucune difficulté ne doit vous rebuter. Redoublez plutôt d'ardeur pour faire basculer... le succès de votre côté !

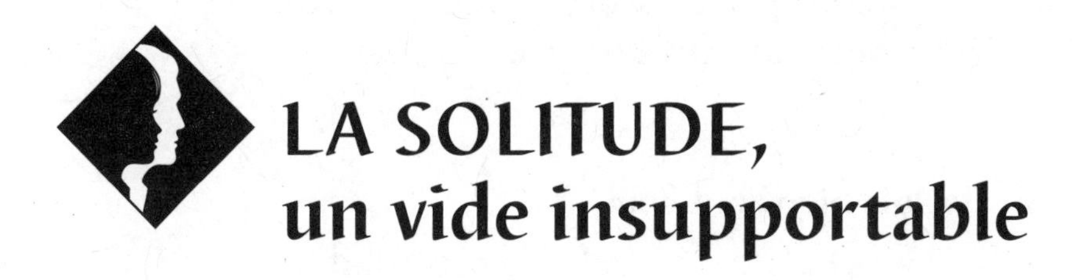

LA SOLITUDE, un vide insupportable

PROVERBE CHINOIS À MÉDITER
La nuit paraît courte dans le plaisir,
les veilles semblent longues dans la solitude.

La solitude en soi n'est pas une fatalité. Mais lorsque celle-ci s'accompagne d'une impression d'incompréhension de l'entourage, cela est difficile à supporter. Vous vous sentez incompris, et un fossé se creuse entre vous et les autres. Vous n'avez personne sur qui vous pouvez compter pour combler vos besoins affectifs et vous finissez par vous taire. Vous vous retrouvez tout seul. Ce sentiment d'abandon peut devenir intolérable. Le repli sur vous-même peut aussi vous plonger dans un état de somnolence où rien ne vous touche réellement ; c'est une façon de tricher la vie. Pour savoir si la solitude vous pèse, répondez aux questions suivantes.

Test

Souffrez-vous de solitude ?

1. **Je suis trop occupé pour faire de nouvelles rencontres.**

   D'accord ❑ Pas d'accord ❑

2. **Je ne crois pas qu'il est possible d'avoir des relations vraiment bonnes.**

   D'accord ❑ Pas d'accord ❑

3. **Je suis bien tout seul.**

   D'accord ❑ Pas d'accord ❑

4. **J'ai peur d'être rejeté.**

   D'accord ❑ Pas d'accord ❑

5. **Je dois travailler sur moi-même avant de m'engager.**

   D'accord ❑ Pas d'accord ❑

6. **Je suis seul parce que je suis déprimé.**

   D'accord ❑ Pas d'accord ❑

7. **J'éprouve trop de chagrin pour me lier avec qui que ce soit.**

   D'accord ❑ Pas d'accord ❑

8. **J'ai peur de m'engager et de perdre ma liberté.**

   D'accord ❑ Pas d'accord ❑

9. **Mes critères sont très élevés et je ne suis pas prêt à faire de compromis.**
   D'accord ❑ Pas d'accord ❑

10. **Je ne sais pas où aller pour faire de nouvelles rencontres.**
    D'accord ❑ Pas d'accord ❑

11. **J'ai eu plusieurs mauvaises expériences.**
    D'accord ❑ Pas d'accord ❑

12. **Je suis toujours attiré par des personnes qui ne me conviennent pas.**
    D'accord ❑ Pas d'accord ❑

13. **Tous les prétextes sons bons pour refuser une sortie.**
    D'accord ❑ Pas d'accord ❑

14. **Être seul n'est pas un problème pour moi.**
    D'accord ❑ Pas d'accord ❑

15. **Les relations sont synonymes de complications.**
    D'accord ❑ Pas d'accord ❑

Accordez-vous trois points pour chacun des énoncés précédents avec lequel vous êtes d'accord. Calculez votre score et reportez-vous au portrait qui lui correspond.

PLUTÔT SOCIABLE
Votre total se situe entre 0 et 9 points.
De caractère généreux et sociable, vous aimez la compagnie de vos semblables.

PLUTÔT SOLITAIRE
Votre total se situe entre 12 et 18 points.
Pour vous, la solitude n'est pas un problème en soi.

TRÈS SOLITAIRE
Votre total est de 21 points ou plus.
La solitude vous pèse beaucoup.

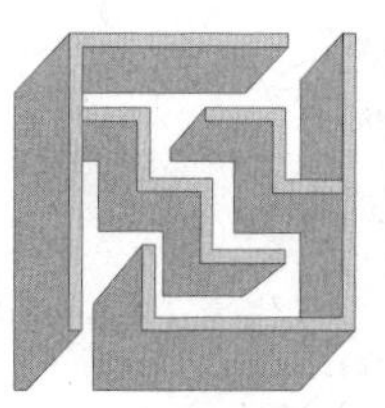

POUR VOUS EN SORTIR

Votre solitude, même si elle est douloureuse, est une occasion d'en apprendre un peu plus sur vous. Vous pourriez tenter d'élargir votre cercle de relations et nouer de nouvelles amitiés qui pourraient apporter une certaine stabilité dans votre vie.

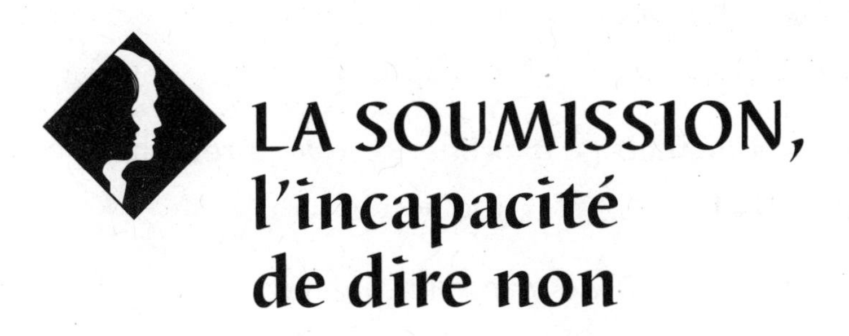

LA SOUMISSION, l'incapacité de dire non

Proverbe chinois à méditer

J'étais furieux de ne pas avoir de souliers ;
alors j'ai rencontré un homme qui n'avait pas de pieds,
et je me suis trouvé content de mon sort.

Pour une personne soumise, les autres ont toujours raison. Elle se fie entièrement aux autres pour agir. Trop perméable aux influences, elle accepte l'inacceptable et est incapable de dire non. Le test qui suit vous permettra d'établir jusqu'à quel point les autres peuvent vous influencer.

Test

Laissez-vous les autres dicter votre vie ?

1. **Je ne suis pas capable de dire non.**
   D'accord ❑ Pas d'accord ❑

2. **Je prends souvent position en fonction de ce que les autres disent.**
   D'accord ❑ Pas d'accord ❑

3. **J'ai de la difficulté à exprimer ce que je ressens.**
   D'accord ❑ Pas d'accord ❑

4. **J'ai souvent peur de manquer mon coup.**
   D'accord ❑ Pas d'accord ❑

5. **Il m'arrive d'endurer indûment une situation.**
   D'accord ❑ Pas d'accord ❑

6. **J'ai besoin d'une épaule ou d'une main secourable.**
   D'accord ❑ Pas d'accord ❑

7. **Je ne suis pas en mesure de me faire plaisir.**
   D'accord ❑ Pas d'accord ❑

8. **Je n'ai pas d'objectifs précis.**
   D'accord ❑ Pas d'accord ❑

9. **Je ne suis pas très confiant en la vie.**
   D'accord ❑ Pas d'accord ❑

10. **Je reste souvent dans l'ombre.**
    D'accord ❑ Pas d'accord ❑

11. Je fais toujours confiance aux autres.

D'accord ❑ Pas d'accord ❑

12. Je n'ai pas d'atouts.

D'accord ❑ Pas d'accord ❑

13. Je suis souvent convaincu d'échouer avant même d'essayer.

D'accord ❑ Pas d'accord ❑

14. Je ne suis pas sûr de moi.

D'accord ❑ Pas d'accord ❑

15. Je n'ai pas beaucoup d'amis.

D'accord ❑ Pas d'accord ❑

16. Je me sens contraint de faire ce que les autres font.

D'accord ❑ Pas d'accord ❑

17. Je n'ai pas d'opinions.

D'accord ❑ Pas d'accord ❑

18. Je me sens toujours isolé.

D'accord ❑ Pas d'accord ❑

19. J'ai peur d'être rejeté.

D'accord ❑ Pas d'accord ❑

20. Je me soumets à ce que l'on me demande de peur de déplaire ou de perdre quelque chose.

D'accord ❑ Pas d'accord ❑

21. Je suis toujours ambivalent lorsque vient le temps de prendre une décision importante.

D'accord ❑ Pas d'accord ❑

22. Je suis porté à me fier à l'opinion des autres.

D'accord ❑ Pas d'accord ❑

Accordez-vous trois points pour chacun des énoncés précédents avec lequel vous êtes d'accord. Calculez votre score et reportez-vous au portrait qui lui correspond.

PLUTÔT INFLEXIBLE

Votre total se situe entre 0 et 18 points.
Vous aimez prendre des décisions et contrôler la situation.

PLUTÔT INFLUENÇABLE

Votre total se situe entre 21 et 39 points.
En situation de conflit, il vous arrive de baisser les yeux et d'accepter la défaite. Vous n'osez pas toujours émettre votre opinion. Apprenez à vous affirmer !

TRÈS INFLUENÇABLE

Votre total est de 42 points ou plus.
Pour vous, les autres ont toujours raison. Vous vous fiez entièrement à eux pour agir. Vous ne savez pas faire la part des choses. Vous croyez que savoir obéir est une vertu. C'est comme si la vie avait oublié de vous apprendre qu'il

faut surtout compter sur soi-même... Laissez tomber vos gardes et foncez !

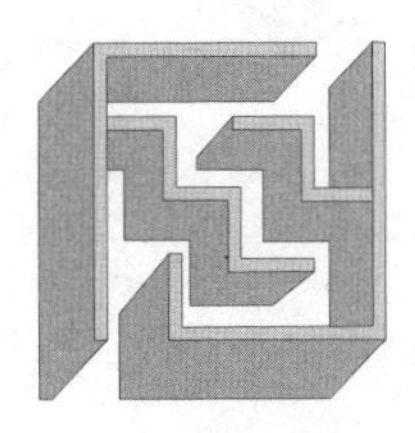

Pour vous en sortir

- Fixez-vous des objectifs à atteindre et déterminez ce qui est le plus important pour vous ;
- Représentez-vous clairement les conséquences d'une décision, d'un projet ;
- Prenez un peu de recul et apprenez à être moins perméable à l'influence des autres ;
- Cessez de vous tourmenter et donnez-vous le droit de ne pas réussir du premier coup.

LE STRESS, une tension démesurée

PROVERBE MAYA À MÉDITER

Ne t'accroche pas au soleil, demain il sera de retour.

Deux personnes sur cinq se disent stressées. Vous êtes probablement l'une d'entre elles si vous êtes nerveux, tendu et irritable. Plusieurs événements peuvent vous stresser, comme les disputes, les malentendus, la maladie, un divorce, etc. Connaissez-vous votre niveau de stress ? Le test qui suit vous indiquera comment le stress vous affecte au quotidien.

Test

☒ Comment réagissez-vous au stress ?

1. **J'ai souvent des maux de tête.**

   D'accord ❑ Pas d'accord ❑

2. **Je réagis avant de prendre le temps de réfléchir.**

   D'accord ❑ Pas d'accord ❑

3. **J'ai du mal à gérer mon temps.**

   D'accord ❑ Pas d'accord ❑

4. **Je m'inquiète avant même de savoir ce qui va m'arriver.**

   D'accord ❑ Pas d'accord ❑

5. **J'ai du mal à m'endormir.**

   D'accord ❑ Pas d'accord ❑

6. **Je fais souvent des cauchemars.**

   D'accord ❑ Pas d'accord ❑

7. **Je me sens tendu.**

   D'accord ❑ Pas d'accord ❑

8. **J'ai l'impression d'être débordé.**

   D'accord ❑ Pas d'accord ❑

9. **Je suis facilement irritable.**

   D'accord ❑ Pas d'accord ❑

10. **Parfois, mon cœur bat trop vite durant une période d'activité normale.**

    D'accord ❑ Pas d'accord ❑

11. Il m'arrive d'avoir envie de pleurer.

D'accord ❑ Pas d'accord ❑

12. J'ai parfois de la difficulté à me concentrer.

D'accord ❑ Pas d'accord ❑

13. Je souffre d'anxiété.

D'accord ❑ Pas d'accord ❑

14. Je consomme plus de boissons alcoolisées depuis un certain temps.

D'accord ❑ Pas d'accord ❑

15. J'ai des douleurs inexpliquées dans le cou ou le dos.

D'accord ❑ Pas d'accord ❑

16. J'ai des tics nerveux.

D'accord ❑ Pas d'accord ❑

17. Je manque d'appétit ou je pille le réfrigérateur.

D'accord ❑ Pas d'accord ❑

18. Je ne peux pas mettre de mots sur ce qui m'effraie.

D'accord ❑ Pas d'accord ❑

19. Je suis plus prédisposé aux accidents qu'avant.

D'accord ❑ Pas d'accord ❑

20. Je prends des tranquillisants.

D'accord ❑ Pas d'accord ❑

Accordez-vous trois points pour chacun des énoncés précédents avec lequel vous êtes d'accord. Calculez votre score et reportez-vous au portrait qui lui correspond.

PLUTÔT NORMAL

Votre total se situe entre 0 et 18 points.
Bravo ! Vous semblez avoir appris à composer avec les stress de la vie.

PLUTÔT STRESSÉ

Votre total se situe entre 21 et 39 points.
Vous semblez être en mesure de faire face aux coups durs même si vos émotions mènent votre vie.

TRÈS STRESSÉ

Votre total est de 42 points ou plus.
Votre niveau de stress n'est pas acceptable.

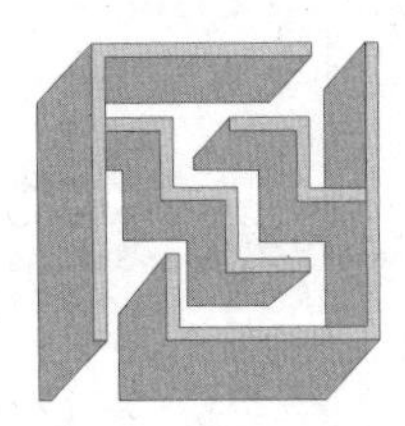

POUR VOUS EN SORTIR

- Il n'est pas rare qu'une personne très stressée mange démesurément. Si c'est votre cas, une réaction plus indiquée au stress serait de faire suffisamment d'exercice physique et d'adopter une alimentation saine et raisonnable.

- S'il vous arrive parfois d'avoir du mal à trouver le sommeil, sachez que l'insomnie n'est pas une maladie et que le stress et l'anxiété peuvent en être les causes.

Voici comment lutter contre le stress :

- Ayez une bonne hygiène de vie ;
- Faites régulièrement du sport ;
- Dormez suffisamment ;
- Prenez des repas équilibrés ;
- Ne laissez pas vos obligations professionnelles vous submerger, car le risque du surmenage, c'est de « craquer » ;
- Apprenez à vous ménager et à devenir votre meilleur ami.

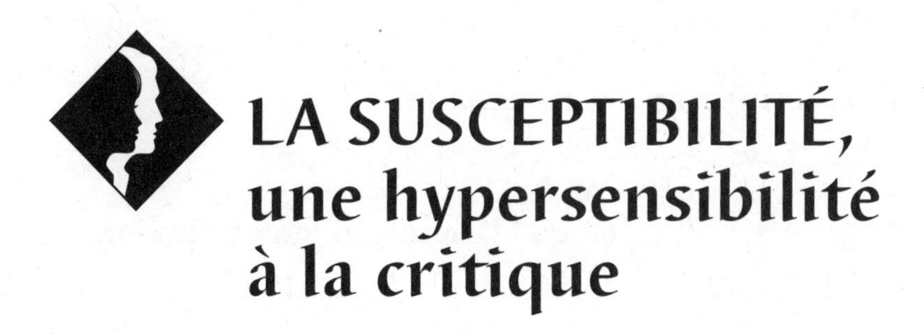

LA SUSCEPTIBILITÉ, une hypersensibilité à la critique

PROVERBE ALLEMAND À MÉDITER
Ce que je ne sais pas ne m'irrite pas.

Certaines personnes se vexent aisément; on dit aussi qu'elles sont irascibles. Cela provient du fait qu'elles manquent de confiance en elles et qu'elles tirent leur sentiment de sécurité des autres plutôt qu'à l'intérieur d'elles-mêmes. Pour savoir si vous êtes sensible à la critique, faites le test qui suit.

Test

ÊTES-VOUS susceptible ?

1. **J'accepte difficilement les remarques des autres.**
   D'accord ❑ Pas d'accord ❑

2. **J'ai un côté susceptible.**
   D'accord ❑ Pas d'accord ❑

3. **Je suis facilement déstabilisé.**
   D'accord ❑ Pas d'accord ❑

4. **Je serais offusqué que l'on refuse mon invitation.**
   D'accord ❑ Pas d'accord ❑

5. **Je ne tolère pas l'impolitesse.**
   D'accord ❑ Pas d'accord ❑

6. **Je n'aime pas qu'on me compare à une autre personne.**
   D'accord ❑ Pas d'accord ❑

7. **La susceptibilité chez l'autre me gêne.**
   D'accord ❑ Pas d'accord ❑

8. **Je manque de confiance en moi.**
   D'accord ❑ Pas d'accord ❑

9. **J'ai tendance à tout généraliser.**
   D'accord ❑ Pas d'accord ❑

10. **Je supporte mal les réflexions blessantes.**
    D'accord ❑ Pas d'accord ❑

11. Je n'arrive pas à rire de moi-même.

D'accord ❑ Pas d'accord ❑

12. Je me sens inférieur ou supérieur aux autres.

D'accord ❑ Pas d'accord ❑

13. Je suis hypersensible à ce que les autres me disent.

D'accord ❑ Pas d'accord ❑

14. Les compliments me mettent mal à l'aise.

D'accord ❑ Pas d'accord ❑

15. Ma journée est gâchée lorsqu'on m'ignore au travail.

D'accord ❑ Pas d'accord ❑

16. Je culpabilise pour rien.

D'accord ❑ Pas d'accord ❑

17. Je suis toujours vexé lorsqu'on se moque de moi.

D'accord ❑ Pas d'accord ❑

18. Mes amis peuvent me blesser sans qu'ils s'en rendent compte.

D'accord ❑ Pas d'accord ❑

19. Je n'aime pas les compliments.

D'accord ❑ Pas d'accord ❑

20. Je me prends trop au sérieux.

D'accord ❑ Pas d'accord ❑

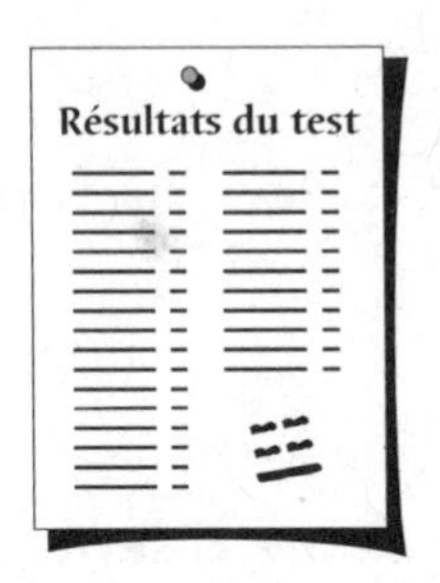

Accordez-vous trois points pour chacun des énoncés précédents avec lequel vous êtes d'accord. Calculez votre score et reportez-vous au portrait qui lui correspond.

PLUTÔT NORMAL

Votre total se situe entre 0 et 18 points.

Vous êtes bien dans votre peau et à l'aise dans la vie. La critique ne vous gêne pas !

PLUTÔT SUSCEPTIBLE

Votre total se situe entre 21 et 39 points.

Vous vous offensez assez facilement. Fixez-vous des objectifs solides pour donner une meilleure direction à votre vie.

TRÈS SUSCEPTIBLE

Votre total est de 42 points ou plus.

Vous manquez de confiance en vous et êtes facilement offusqué.

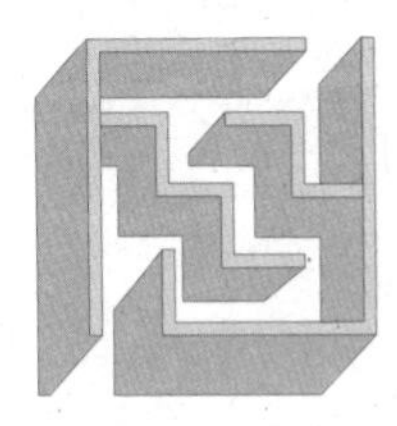

POUR VOUS EN SORTIR

- Apprenez à vous maîtriser ;
- Contrôlez vos impulsions ;
- Acceptez de ne pas être parfait ;
- Ne cherchez pas continuellement la perfection.

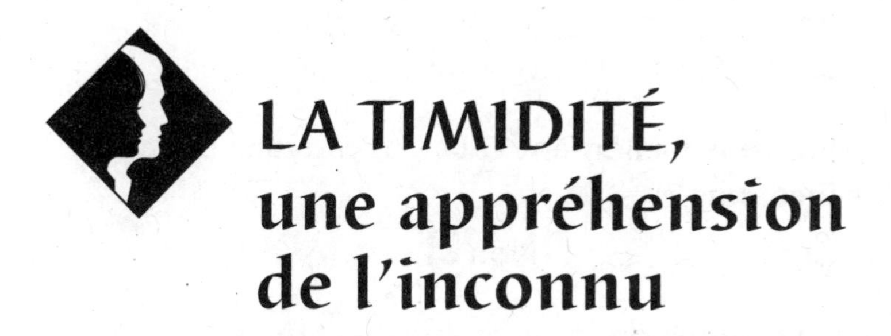

LA TIMIDITÉ, une appréhension de l'inconnu

PROVERBE ESPAGNOL À MÉDITER
La timidité est la prison du cœur.

Saviez-vous qu'une personne sur deux souffre de timidité ? La plupart des gens éprouvent de l'appréhension face aux inconnus, et c'est normal. Mais si votre timidité est excessive et qu'elle vous gâche réellement la vie, il est temps de remédier à votre attitude défensive pour affronter plus sereinement le regard des autres. Le test qui suit vous indiquera votre degré de timidité.

Test ÊTES-VOUS peu, moyennement ou très timide ?

1. **Rougissez-vous facilement ?**

   Oui ❏ Non ❏

2. **Vous arrive-t-il de bafouiller en prenant la parole en public ?**

   Oui ❏ Non ❏

3. **Perdez-vous facilement tous vos moyens devant des inconnus ?**

   Oui ❏ Non ❏

4. **Éprouvez-vous de la difficulté à exprimer vos opinions ?**

   Oui ❏ Non ❏

5. **Votre cœur bat-il trop vite lors d'une nouvelle rencontre ?**

   Oui ❏ Non ❏

6. **Êtes-vous embarrassé par les compliments ?**

   Oui ❏ Non ❏

7. **Vous trouvez-vous moche ?**

   Oui ❏ Non ❏

8. **Détournez-vous les yeux lorsque vous vous adressez à votre supérieur ?**

   Oui ❏ Non ❏

9. Fuyez-vous la critique ?

Oui ❑ Non ❑

10. Vos gestes sont-ils mesurés ?

Oui ❑ Non ❑

11. Pouvez-vous rester tranquillement assis durant une discussion ?

Oui ❑ Non ❑

12. Avez-vous l'impression d'être transparent ?

Oui ❑ Non ❑

13. Avez-vous eu une déception professionnelle ?

Oui ❑ Non ❑

14. Vos exigences personnelles sont-elles très élevées ?

Oui ❑ Non ❑

15. Craigniez-vous d'être exposé au jugement des autres ?

Oui ❑ Non ❑

16. Avez-vous peur de dire des banalités en public ?

Oui ❑ Non ❑

17. Éteignez-vous les lumières durant vos ébats amoureux ?

Oui ❑ Non ❑

18. Cachez-vous ce que vous vivez aux autres ?

Oui ❑ Non ❑

19. Avez-vous une pauvre estime de vous-même ?

Oui ❑ Non ❑

20. Vous arrive-t-il de vous sentir incapable de la moindre réaction ?

Oui ❑ Non ❑

Accordez-vous deux points pour chaque oui. Calculez votre score et reportez-vous au portrait qui lui correspond.

PLUTÔT NORMAL

Votre total se situe entre 0 et 8 points.

Vous avez confiance en vous, ce qui vous permet d'exprimer vos opinions et d'agir en accord avec vos idées.

PLUTÔT TIMIDE

Votre total se situe entre 10 et 22 points.

Il vous arrive de manquer d'assurance face à autrui ou de douter de vos compétences.

TRÈS TIMIDE

Votre total est de 24 points ou plus.

Votre timidité est à l'origine d'un grand nombre de vos difficultés.

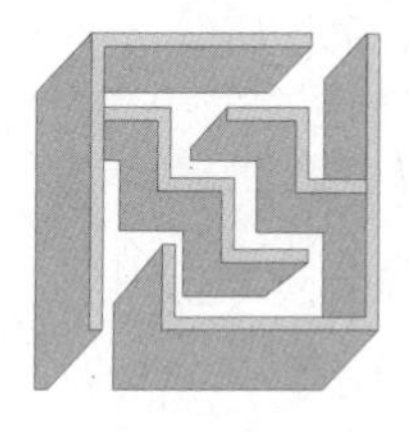

Pour vous en sortir

- Aussi paradoxal que cela puisse paraître, la première chose à faire est d'accepter votre timidité ;
- Pour diminuer votre anxiété, vous pourriez opter pour des techniques de visualisation positive, un cours de yoga ou des exercices de relaxation.

N'admirez plus ces personnes élégantes et sûres d'elles-mêmes : vous possédez de précieux atouts dans votre manche et il n'en tient qu'à vous d'acquérir ces réflexes d'aisance en étant un peu plus décontracté. Auriez-vous peur, au fond de vous ? Si c'est le cas, examinez comment vous réagissez lorsque vous êtes dans une situation intimidante. Prendre conscience de sa vulnérabilité n'est pas une chose facile. Mais ce n'est pas en contournant votre problème que vous arriverez à l'éliminer. Avant tout, ne combattez pas votre timidité ; essayez plutôt de vous détendre et concentrez-vous sur ce que vous ressentez. La prochaine fois que vous vous retrouverez dans une telle situation, vous serez probablement moins timide.

Et pour mieux contrôler votre timidité, pourquoi ne pas en parler à quelqu'un en qui vous avez confiance ?

SURMONTEZ VOTRE TRAC !

Si vous souffrez du trac lorsque vous devez prendre la parole en public, c'est probablement parce que vous portez un regard négatif sur vous et sur les autres. Il y a plusieurs façons de vaincre cet état ; par exemple, la relaxation, le yoga et la respiration. Celles-ci vous aideront à garder votre calme face à vos interlocuteurs. Vous pouvez également vous inscrire à un atelier de théâtre amateur ou à un cours de mannequin afin de vous aider à avoir une meilleure estime de vous et à vous exprimer librement, sans être soumis à l'opinion des autres. Avec un peu d'effort, vous vous habituerez à affronter le public sans vous imaginer qu'on voit votre manque de contrôle ou vos faiblesses.

Soyez patient avec vous-même : votre timidité vous habite depuis trop longtemps. Vous pourrez vous en libérer uniquement lorsque vous oserez la regarder en face. Vous avez simplement besoin de plus de temps que les autres pour vous adapter à de nouvelles situations. Surtout, ne laissez pas votre timidité vous empêcher de réaliser vos rêves !

Par ailleurs, au travail, ne vous laissez plus bousculer ou gêner. Sachez reconnaître les appuis utiles qui pourront vous épargner bien des problèmes. Tout peut se passer pour le mieux si vous apprenez à prendre le taureau par les cornes !

SE PRENDRE POUR UNE VICTIME, un manque de confiance en soi

PROVERBE CHINOIS À MÉDITER

Le jour éloigné existe, celui qui ne viendra pas n'existe pas.

Sans confiance en soi, il est difficile de faire face à la vie quotidienne avec sérénité ou d'atteindre ses objectifs. Pour savoir si vous avez confiance en vous-même, faites le test qui suit.

Test

Avez-vous confiance en vous ?

1. **Êtes-vous porté à vous fier davantage aux autres qu'à vous-même ?**

   Oui ❑ Non ❑

2. **Doutez-vous continuellement de vos choix ?**

   Oui ❑ Non ❑

3. **Ressentez-vous souvent la peur d'être rejeté ?**

   Oui ❑ Non ❑

4. **Fuyez-vous la critique ?**

   Oui ❑ Non ❑

5. **Êtes-vous de nature inquiète ?**

   Oui ❑ Non ❑

6. **Vous arrive-t-il d'être ambivalent au moment de prendre des décisions importantes ?**

   Oui ❑ Non ❑

7. **Vous arrive-t-il d'être freiné par votre timidité ?**

   Oui ❑ Non ❑

8. **Êtes-vous nerveux en présence d'étrangers ?**

   Oui ❑ Non ❑

9. **Vous arrive-t-il de vous exprimer de façon peu claire ?**

   Oui ❑ Non ❑

10. Laissez-vous souvent vos phrases en suspens ?

Oui ❑ Non ❑

11. Doutez-vous de vos compétences ?

Oui ❑ Non ❑

12. Évitez-vous le regard des autres ?

Oui ❑ Non ❑

13. Avez-vous une bonne opinion de vous-même ?

Oui ❑ Non ❑

14. Manquez-vous de stabilité ?

Oui ❑ Non ❑

15. Êtes-vous discret ?

Oui ❑ Non ❑

16. Votre poignée de main est-elle énergique ?

Oui ❑ Non ❑

17. Êtes-vous souvent envahi par des émotions négatives ?

Oui ❑ Non ❑

18. Vous arrive-t-il de trouver de bonnes excuses pour ne pas agir ?

Oui ❑ Non ❑

19. Manquez-vous de la ténacité nécessaire pour réaliser vos rêves ?

Oui ❑ Non ❑

20. Êtes-vous intransigeant envers vous-même ?

Oui ❑ Non ❑

21. Vous considérez-vous comme malchanceux ?

Oui ❑ Non ❑

22. Vous arrive-t-il de vous plaindre sans chercher de solutions ?

Oui ❑ Non ❑

23. Vous sentez-vous persécuté par les autres ?

Oui ❑ Non ❑

24. Votre confiance en vous est-elle superficielle ?

Oui ❑ Non ❑

25. Êtes-vous déprimé ?

Oui ❑ Non ❑

Accordez-vous deux points pour chaque oui. Calculez votre score et reportez-vous au portrait qui lui correspond.

PLUTÔT NORMAL

Votre total se situe entre 0 et 10 points.
De nature confiante en la vie, vous êtes en mesure de vous remettre rapidement sur pied après un coup dur.

PLUTÔT VICTIME

Votre total se situe entre 12 et 24 points.
Il vous arrive de vous sentir pris au piège.

COMPLÈTEMENT VICTIME

Votre total est de 26 points ou plus.

Vous vous croyez impuissant devant la vie.

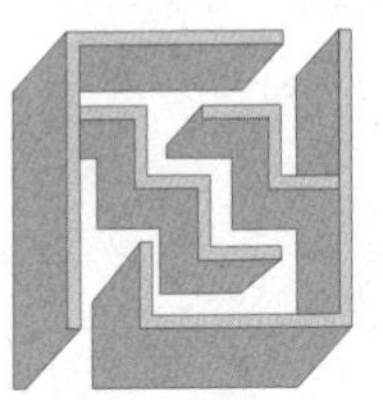

POUR VOUS EN SORTIR

Vous devez être prêt à changer l'image que vous projetez et l'opinion que vous avez de vous-même si vous voulez produire un meilleur impact sur les autres. En ayant une pensée positive, vous aurez plus d'assurance. Tout dans votre attitude pourra témoigner de votre potentiel personnel. Votre entourage notera votre calme et votre ouverture d'esprit. Cette transformation vous aidera aussi à découvrir de nouvelles ressources en vous-même, dont vous ignoriez l'existence jusqu'à maintenant.

Ne vous enlisez pas dans une attitude défaitiste. Vous devez croire que vous méritez ce que vous voulez et que vous avez tout ce qu'il vous faut pour réussir votre vie.

REGARDEZ-LE BIEN DANS LES YEUX !

L'expression du regard livre une quantité d'informations. Le regard direct, par exemple, montre qu'une personne est sûre d'elle-même. Ainsi, lorsque vous voulez forcer votre interlocuteur à prendre position, regardez-le bien dans les yeux. Si celui-ci est confiant et sûr de lui, il soutiendra votre regard. En revanche, s'il est incertain ou indécis, il jettera un coup d'œil oblique ou baissera les yeux.

- Pour reprendre confiance en vous, développez votre créativité et votre intuition ;
- Gérez une situation au lieu de l'endurer ;
- Cherchez des solutions au lieu de vous plaindre ;
- Développez votre charisme et, surtout, affirmez vos opinions.

LA VIOLENCE, un rapport de force

PROVERBE MALTAIS À MÉDITER
Qui court après le buffle l'attrape par la queue.

Faire violence est agir sur quelqu'un ou le faire agir contre sa volonté en utilisant la force ou l'intimidation. L'usage de la force peut se faire en infligeant des blessures physiques ou morales. Pour savoir si vous portez en vous une certaine dose de violence, faites le test qui suit.

Test

☒ ÊTES-VOUS violent ?

1. **Vous a-t-on déjà dit que vous inspiriez la peur ?**
   Oui ❑ Non ❑

2. **Vous arrive-t-il de manquer de respect à autrui, verbalement ou physiquement ?**
   Oui ❑ Non ❑

3. **Votre entourage doit-il se mettre à votre service ?**
   Oui ❑ Non ❑

4. **Avez-vous beaucoup de caractère ?**
   Oui ❑ Non ❑

5. **Avez-vous un sentiment de toute-puissance ?**
   Oui ❑ Non ❑

6. **Pouvez-vous avoir un regard méprisant ou utiliser des critiques dissimulées ?**
   Oui ❑ Non ❑

7. **Vous êtes-vous déjà comporté de façon agressive avec un étranger ?**
   Oui ❑ Non ❑

8. **Vous arrive-t-il de « disjoncter » ?**
   Oui ❑ Non ❑

9. **Déchargez-vous votre rage ou votre colère sur les autres ?**
   Oui ❑ Non ❑

10. Avez-vous la colère facile ?

Oui ❑ Non ❑

11. Réagissez-vous violemment lorsque vous avez du mal à obtenir ce que vous voulez ?

Oui ❑ Non ❑

12. Dites-vous tout ce que vous avez sur le cœur ?

Oui ❑ Non ❑

13. Êtes-vous débordé par les émotions ?

Oui ❑ Non ❑

14. Vous arrive-t-il de « tout casser » pour vous libérer d'une trop grande tension ?

Oui ❑ Non ❑

15. Réagissez-vous sans prendre le temps de réfléchir ?

Oui ❑ Non ❑

Accordez-vous deux points pour chaque oui. Calculez votre score et reportez-vous au portrait qui lui correspond.

PLUTÔT NORMAL

Votre total se situe entre 0 et 8 points.
Vous êtes plutôt pacifique.

PLUTÔT VIOLENT
Votre total se situe entre 10 et 16 points.
Vous pourriez user de violence envers les autres et vos colères pourraient être violentes.

TRÈS VIOLENT
Votre total est de 18 points ou plus.
Vous pouvez vous emporter et user brutalement de votre force physique.

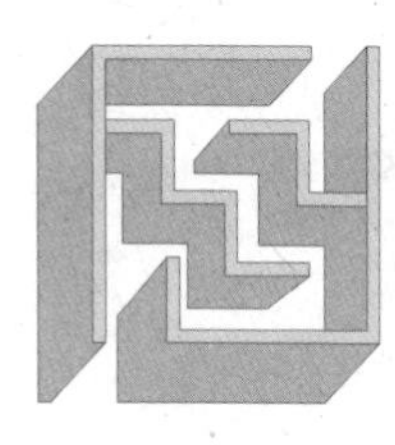

Pour vous en sortir

- Dans votre couple, attisez vos disputes avec des baisers... ;
- Lorsque les rapports sont trop compliqués et que vous ne savez plus sur quel pied danser, mieux vaut ne pas vous y attarder. Soyez diplomate et prenez le temps qu'il faut pour exprimer ce que vous avez sur le cœur ;
- Évitez les excès de boissons alcoolisées ;
- Pratiquez la méditation ;
- Pour apaiser votre colère, prenez des bains et pensez aussi à la relaxation ;
- Rappelez-vous qu'aucune personne ne mérite d'être agressée physiquement, verbalement ou psychologiquement ;
- Apprenez à vous connaître... pour changer.

TABLE DES MATIÈRES

Achevé d'imprimer au Canada
sur papier Enviro 100% recyclé
sur les presses de Imprimerie Lebonfon Inc.

certifié	procédé sans chlore	100 % post-consommation	archives permanentes	énergie biogaz